SUDOKU

WITH OVER 500 PUZZLES

ARCTURUS

ARCTURUS

This edition published in 2016 by Arcturus Publishing Limited
26/27 Bickels Yard, 151–153 Bermondsey Street,
London SE1 3HA

AD005197NT

Printed in the UK

Contents

How to Solve Sudoku Puzzles

Each sudoku puzzle begins with a grid in which some of the numbers are already in place:

	9	6			8		3	
		1		4	2			
5						8	1	9
4		7	1	2				3
		8	7		6	5		
2				9	4	6		1
8	7	2						5
			3	5		1		
	3		2			4	6	

You need to study the grid in order to decide where other numbers might fit. The numbers used in a sudoku puzzle are 1, 2, 3, 4, 5, 6, 7, 8 and 9 (0 is never used).

For example, in the top left box the number cannot be 9, 6, 8 or 3 (these numbers are already in the top row); nor can it be 5, 4 or 2 (these numbers are already in the far left column); nor can it be 1 (this number is already in the top left box of nine squares), so the number in the top left square is 7, since that is the only possible remaining number.

A completed puzzle is one where every row, column and box contains nine different numbers, as shown below:

Column

↓

Row →

Box →

7	9	6	5	1	8	2	3	4
3	8	1	9	4	2	7	5	6
5	2	4	6	7	3	8	1	9
4	6	7	1	2	5	9	8	3
9	1	8	7	3	6	5	4	2
2	5	3	8	9	4	6	7	1
8	7	2	4	6	1	3	9	5
6	4	9	3	5	7	1	2	8
1	3	5	2	8	9	4	6	7

8			7			2		9
		1	5				7	4
2	4			9	6			8
6	5				4		9	7
		3		6		8		
7	8		2				1	6
9			1	8			4	3
5	2				3	9		
1		4			9			2

1					3	7	4	9
8	9			5	2	6		
3		6			9			8
4					7	3	8	
	2		1	8	6		7	
	8	1	3					5
9			6			1		2
		7	9	4			5	6
6	1	5	2					7

8		3	6			9		4
5			3	7		6	2	
2	4		9					7
4	8		1			2		
	9		4	8	6		5	
		7			5		8	1
9					1		7	5
	3	8		2	9			6
6		1			3	8		2

7		6		9	3	8		1
9			5	6	4		3	7
		2			7		4	
	3		4			1		
2		4		5		7		6
		5			9		2	
	1		9			5		
8	6		1	2	5			4
5		9	7	4		3		8

	4		5		9		7	
7	9			2			8	1
3		2		8		4		9
8		9	4		6	2		5
	6		2		1		9	
2		1	9		8	6		7
6		3		1		9		4
5	1			9			2	6
	2		6		5		3	

2		7	6		3	8		5
		5	2	8			1	6
	3	6					2	
				9	6		4	3
1			7		4			8
4	5		1	2				
	7					9	3	
6	2			5	9	4		
3		8	4		1	5		2

6	9		3		4		7	5
	7		1		5		9	4
8		4		9		2		
		9	5	6	8	3		
1	8						6	9
		3	7	1	9	5		
		7		5		1		6
5	1		9		6		2	
4	2		8		1		5	3

4		1		6			5	
		6	2			3	1	8
9				5	3	7		6
				4	5		8	
6	4	7		8		5	9	1
	8		6	7				
2		5	8	3				4
1	7	3			9	8		
	6			1		2		9

1	6			8	4	2		3
		3	2		9	8	1	
7						4		5
				4	6		5	2
	9		7		2		3	
8	2		9	1				
5		6						1
	1	7	6		5	3		
2		8	1	3			6	9

3			2	8	4			5	6
8						5		2	9
	4			2		9		1	
6		9			7	2			
		4		1		6	3		
				3	8		6		5
	5			6		3		4	
9	7			4					1
4	6				5	7	2		8

5					7	9	4	3
9		3	4	5		2		
	1	8	9				6	
8		4		7			9	
	2		6	8	5		3	
	3			9		7		5
	4				8	1	7	
		5		6	3	8		4
2	8	7	1					6

8	4			7			3	2
5		6	4		9	8	1	
	9			2			4	
7	6		2		1		5	4
		4	6		7	2		
2	1		3		4		9	6
	5			6			7	
	7	3	9		2	5		8
6	8			1			2	3

8		7	3			6		2
6	4				8		7	9
1				6				8
				7	4	2	8	
	2	4		3		9	1	
	3	8	5	1				
3				2				1
2	1		6				5	7
4		5			9	3		6

2	4	7	6			1	9	
1	8				9		7	2
	9			7			5	
9		4		1	2			
5		8		6		2		4
			3	5		9		6
	5			4			6	
3	1		7				4	5
	7	6			8	3	2	1

	9	7			3			6
3	6		8	2			1	4
	2			9	6	5		
6		8		7			9	
2		1	5		9	7		8
	4			1		3		5
		3	7	4			8	
9	7			8	5		3	1
4			9			2	5	

3		6	7				8	5
	1				5		2	4
		7	4	9				1
1	8	9	2	7				
5	3			4			7	6
				8	3	2	1	9
6				3	4	5		
8	9		6				4	
4	7				2	3		8

18

6			9	8	1			7
7	9	8	2			5		3
		4	7				9	
		1	6		8		4	
4		9		1		7		8
	2		4		9	3		
	3				6	1		
1		6			7	2	3	5
5			1	4	3			9

★

5	4		2				9	3
6			4		1		5	
2	7		5	6				
		9	6	7		4		1
	6	7		1		8	3	
		5		4	3	7		
8				9	4		7	6
	1		3		8			2
9	3				6		1	8

		6	7	4	8	3		2
2					3		8	
4		3			5	1		9
7			4		6		2	
8		2		7		4		3
	5		8		2			1
6		7	3			9		5
	1		6					7
5		9	1	2	7	8		

4	1	6	9				3	
		8		3	4		6	
2	9				6	7		5
6				9		4	7	
1			3	7	2			8
	3	9		6				1
9		5	7				1	4
	4		1	2		3		
	2				5	9	8	7

1	6			7		3		4
			4	8	2			
2		9		3		5	7	
	3		1			6	4	7
5			2	9	4			1
4	8	1			3		9	
	9	3		1		4		2
			5	2	7			
8		5		4			1	6

	3	6	2		1	7	4	
	7			4			1	
1	2				9		5	6
4		8		3	5			
9		7		1		4		5
			6	7		1		8
2	4		1				8	3
	8			2			7	
	9	3	4		8	5	2	

6		1		7	8		2	
	4	7			5			3
8		9	2				4	6
			5	3		6	9	4
	2			8			1	
9	6	5		4	7			
5	8				1	4		9
4			3			2	7	
	9		8	6		3		1

6			1	4	8			9
7	2			6		4	3	
	8					5		6
9	6	3	2					7
		8	3	7	4	6		
2					6	1	5	3
5		6					2	
	7	4		2			8	1
8			4	9	3			5

2		7	4			3	6	8
3	6				2		7	5
1				3				2
	4	2	9	1			3	
		6		4		5		
	3			7	6	8	2	
4				8				1
8	1		3				9	7
6	7	9			5	4		3

6				4			3	1
	5	7	8		1	4	2	
		1	9		3	7		5
2			6	1	9			4
	1	8		5		3	9	
9			4	3	8			2
7		6	1		4	9		
	3	9	2		5	6	4	
5	8			9				7

	8				1	9	7	3
2		3	8		7			
		9		5	4		8	1
	5		7			6		8
3			6	8	9			4
8		7			3		2	
5	9		1	2		3		
			4		8	5		6
7	4	6	9				1	

1		7	3	8			6	
6				4	1		3	9
	5	4	7					2
2	6	8	9	7	4			
	1						4	
			1	2	5	9	8	6
7					9	5	2	
8	2		4	1				3
	4			5	3	1		8

1			2		7		5	4
		8		9	5		1	
5	7	3			8			6
			7	6		4	9	1
	2			5			3	
6	1	9		8	4			
8			4			7	6	3
	3		5	7		2		
9	6		8		3			5

★

8		5	6		2			1
	9				7	6		4
	7		4	1			8	5
9				8		5	4	
		8	7	3	4	2		
	3	1		2				7
3	5			6	1		9	
7		2	5				3	
6			3		8	4		2

8			5		9	4		2
5	2	9		3		6		
			2	6	8	9		
	8		4		3			9
	1	7		2		5	4	
3			7		1		8	
		8	9	1	2			
		6		4		8	2	7
2		3	6		7			4

8	9			5	2		6	3
	1		9			4		2
		3	8		4			5
	7	5		8				9
		6	2	7	9	8		
1				6		3	2	
4			6		7	2		
9		8			3		7	
7	3		5	4			1	6

4			1		7			8
8		3	5		6	7	9	4
	6		3	8			2	
	5		4	1	8		7	
9		1				8		3
	8		7	3	9		5	
	4			7	2		1	
2	3	6	9		1	5		7
1			8		3			2

7				9	6	2		3
			3			8		
9	3	4		5		6		
3	6		7		1		2	8
	4	7		2		9	1	
5	2		9		8		3	4
		3		8		4	6	7
		5			7			
4		2	6	1				5

5	2		3		4		6	
3			6	8	2			
8				9		2	4	3
		6	7		1		9	
4		5		2		7		1
	3		9		5	6		
6	1	2		5				8
			2	7	3			6
	5		1		8		2	9

	1		5	6		8	7	
6	9	5						4
			1	4		2		
8		9	2	5				1
	2	6	9		7	4	8	
5				3	8	7		2
		2		8	5			
4						6	2	3
	3	7		2	6		1	

2			3			4		7
8	1		6	2		5	3	
	3	5	8				1	
1		9			3		2	
6			5	1	9			4
	7		4			3		1
	8				5	9	6	
	6	4		7	8		5	2
9		2			6			8

	8				2		3	
9	7		1	6				4
4		3		8		6		1
		7	2		5	3	6	9
		2		7		8		
6	5	1	3		8	7		
7		4		2		5		6
5				3	7		2	8
	1		9				7	

4			7	3		1	2	
	6			1		5		8
9	3				5	6		4
		4	2					7
8	2		1	7	3		6	5
5					8	9		
2		7	5				9	3
1		5		8			4	
	8	6		9	7			1

		9		7		3	8	6
		5		6	9			
		4	8					
3	8		6		4		5	7
	1	6				2	3	
4	5		2		1		9	8
					2	7		
			9	1		5		
2	9	3		4		8		

★★

	4		3	7	9			
	6			2		9	4	8
	5		6		8			
5			8		7	4		
	8	7				2	1	
		4	2		5			3
			1		3		2	
1	3	9		5			6	
			9	6	4		3	

			6	2	4			
5	3			8		2		9
4						7	8	
	5				8	6	9	7
		4	9		2	8		
8	1	9	5				3	
	7	8						5
3		2		5			6	4
			2	1	9			

44

★★

					8	6	1	9
	7	9		4				5
	2		6	5		3	4	
			5	7				1
7		3				5		2
1				3	4			
	8	5		6	1		7	
4				9		8	2	
3	9	6	2					

	3		9		2			5
4	8				7		2	
				5	3		6	7
		6	4	2		3		
	4	1				6	5	
		2		6	5	8		
5	6		2	8				
	9		5				4	8
7			1		4		9	

★★

		3	6	2			5	8
		7	5		1	2		
1		5						6
				4	5		1	9
	8		7		9		2	
3	9		8	6				
7						4		1
		2	9		8	3		
6	5			3	4	9		

		4	2		7	5		
8	9			6			4	2
5				9				3
9	3		6		2		1	5
		1	3		9	2		
6	2		1		4		9	7
7				2				1
1	8			3			2	4
		9	7		1	8		

★★

2				8	5	1		4
1			4			6	3	
	7		1			8		
		6		3			5	1
	3		6		7		9	
7	4			9		2		
		5			3		4	
	8	7			6			2
9		4	7	5				6

	7	3	4	8				
	6		3			8	2	
		9	5		2		6	
7			2	4				1
5	2						3	7
4				7	3			8
	1		6		4	3		
	8	2			9		4	
				3	1	9	7	

	2	8	5	1				
	7		8			1	3	
		6	4		3		7	
5				2	8			1
4	3						8	2
2			3	5				9
	9		7		5	8		
	1	3			6		5	
				8	9	6	2	

9	8					3		
	2	6		9		4		5
			7	2	3			
6	7	8			9			4
	9		6		2		3	
5			4			9	6	1
			2	1	6			
7		3		4		5	2	
		4					9	8

★★

	8	3		6		2	9	
5			8		4			3
	4			2			8	
	5	6	2		7	8	1	
8			5		6			2
	7	2	9		8	5	4	
	1			5			6	
9			4		2			1
	3	5		7		9	2	

7			3			9		
3	5			7	1		6	
4		2	5				3	
	3	1		2				4
		8	4		9	2		
6				8		5	9	
	6				4	7		9
	4		9	1			8	5
		5			2			1

8	3	6		5		1		
					8	9		
			1	3		2		
1	8		7		4		9	2
6		4				3		7
2	5		9		3		6	8
		2		7	1			
		5	4					
		8		9		6	4	1

	3			4	5		8	
2	8	1				7	5	4
6					7			2
	4				9			7
		5	1		2	8		
8			6				3	
1			3					9
5	9	3				1	7	8
	6		7	9			2	

	9	3			8	4	1	
	1			3			5	
4	2		1				3	6
1		9	6	4				
		2				6		
				5	7	1		8
7	4				3		9	5
	5			9			8	
	3	8	2			7	6	

★★

6		8	3		2	9		4
		3	1		5	8		
	7			9			3	
	5		2	1	9		4	
3		2				1		5
	4		5	3	7		9	
	6			5			8	
		7	9		3	5		
1		5	6		4	7		9

	9	1			7	4	5	
6					5	3		
	5		8	4	6		2	
		9	6					7
	4	5				6	3	
3					2	8		
	6		9	3	8		1	
		8	2					9
	1	7	5			2	8	

5		9	7		1	8		4
1			2		6			5
	3			4			1	
	8		3	1	2		4	
7		1				2		6
	2		4	6	7		8	
	9			2			5	
3			1		4			2
2		6	8		9	4		3

5	9	1					2	
		8			5	4		3
				2	8			6
	5		3	7			6	4
9			4		1			2
1	3			5	6		8	
6			5	3				
4		7	9			8		
	2					6	7	9

9		4	3		1	5		2
			6		5			9
	1			9			8	
	9		5	4	7		3	
7		6				9		4
	3		2	6	9		5	
	2			5			6	
6			9		4			8
8		1	7		6	3		5

	2		8	3	5			
	1		7		6			
	6			4		7	2	8
2			1		4	5		
3	7						9	4
		1	3		7			2
8	5	9		1			6	
			5		9		4	
			2	6	8		5	

	4				3			7
9		8			2	3		5
		3	1	5	4	6		
8			4				2	
3		5				7		4
	7				6			1
		4	8	7	1	9		
2		9	3			1		6
1			6				8	

5			8				9	
		6	5	2	9	3		
	8	9	4			6	1	
	9				8			2
	3	2				7	4	
1			3				5	
	7	4			1	5	6	
		8	9	7	3	4		
	2				4			3

	7		5		8		1	
3	1		2		7		6	4
		9		6		7		
		4	9	7	5	6		
7	2						8	5
		5	6	8	2	4		
		3		5		1		
8	5		4		3		9	6
	9		7		6		5	

★★

	4		6		2	5		
	5	7	3		4	8		
1				7			2	
		3			5		8	2
		2		3		7		
4	9		1			6		
	6			8				5
		1	4		3	2	9	
		5	7		9		1	

1		8	2		3	4		5
		4	6		7	2		
	2			8			9	
	8		7	2	9		1	
7		6				3		2
	1		3	6	8		7	
	4			7			5	
		7	8		2	9		
8		9	5		1	7		6

8	7	9			3			
4			7	5		8		
	2		8				1	6
	8			3		6		7
	9		2		5		4	
3		5		8			9	
1	3				6		7	
		7		2	9			5
			1			4	6	3

		8	7	1		5		2
	2				6			1
		9			8		3	7
	1	4		6				8
	5		8		7		6	
9				5		7	2	
8	6		2			4		
3			4				7	
4		2		3	1	9		

	7			4		8		
8			2		6		5	
5			1		3		2	9
1			8			9	4	
9				1				6
	2	3			5			7
6	8		3		1			4
	3		9		7			8
		5		6			9	

2	5	9		1		3		
			5	3	4	9		
			2		9	8		
	4		8		1			9
	7	6				2	8	
1			6		7		4	
		1	3		6			
		4	9	7	5			
		3		8		4	5	6

★★

		4	1			7		
6	1	5				4	3	2
2			6	5				8
8					7	2		
	2		4		3		6	
		1	9					5
4				9	1			7
1	3	2				6	8	9
		9			8	3		

5	9		6				7	3
8		7			4	1		6
1				5				9
				3	8	5	2	
		8				4		
	1	2	7	9				
9				6				2
2		3	1			6		5
6	8				2		3	4

★★

6		5				3	1	
			1	6			4	7
9				7		2	8	
		1			3		9	
4		8	5		2	7		3
	6		7			8		
	8	7		2				4
3	2			5	1			
	4	9				6		5

	8				1			
	5			2		6	7	1
	9		6	3				
5		6	1		3	9		2
	1	7				3	4	
8		9	4		2	5		7
				4	6		9	
4	7	5		8			6	
			5				2	

6				2	4	1		
	7				9	2		3
3	5		6				4	
				3	2	9	8	5
1								6
8	3	5	9	7				
	8				1		9	4
2		6	7				3	
		7	4	5				8

					7	8		
1	7	5		9		6		
			1	4		2		
2	9		7		4		6	1
4		3				7		5
6	5		3		9		8	2
		2		3	1			
		1		8		5	3	6
		9	6					

★★

2	5	6				8	3	1
1			2	6				7
		8	5			9		
		5	4					6
	1		8		3		2	
7					9	1		
		4			7	3		
8				4	5			9
5	3	1				2	7	4

			1	2	6			
3	4					5		
6		8		5		7	9	
1	2	3			5		8	
7			6		1			3
	5		3			4	1	9
	8	5		3		1		6
		7					3	4
			7	6	9			

7		6		1	3		5	
					2	8	9	
2	5				6			7
8					9	7	2	
		3	4		5	9		
	4	7	2					1
6			5				4	3
	1	4	3					
	9		6	8		1		5

	5			1	2	4		
4					6		9	7
6	7	3	9					
2				8		5	7	
3			1		5			2
	4	6		7				8
					7	2	8	4
9	6		8					1
		8	4	5			3	

	6		1		7			8
4	9				3		7	
				8	6		5	3
		7		5	8	9		
	4	2				5	8	
		5	4	7		6		
8	5		7	9				
	1		8				4	9
3			2		4		1	

9			5		6			2
8	3						7	
5				9	8	4	1	
	5	3		8	4			
		2	7		5	6		
			6	1		5	9	
	6	4	1	2				9
	1						3	4
2			4		3			7

★★

5	7			4			3	1
	1		7	8		4	9	
		2			6			
7			1			3	6	8
4								9
2	3	1			8			7
			4			8		
	6	7		3	2		5	
8	5			9			2	3

		9	1		5			3
3			4			7		5
2		4	8	7				
	2		5	8			6	
5	1						2	4
	8			2	4		7	
				4	6	9		2
7		5			9			8
6			3		8	4		

	8	5	7	6				
2		9		5			3	
4		3					6	1
7			8			4		
9	3		5		6		8	2
		1			2			9
6	1					7		8
	4			2		9		5
				1	7	3	2	

9	3	7	1					
	6			4	2	8		
8					9		1	3
	8	9		3				5
7			4		6			2
2				5		6	3	
1	9		5					4
		5	8	6			7	
					3	2	5	8

	9	7			6			5
6	5		2	4				3
	4				5	1		
	3			8		6		1
		8	1		9	7		
5		2		7			9	
		6	7				2	
9				2	1		6	8
3			9			4	1	

					1		4	9
6		5		2	3		8	
	8	1			6	5		
5	7		1			2		
3			7		8			4
		9			4		1	5
		6	8			3	7	
	4		6	9		8		2
7	2		3					

	6		3	1		7		
7			8				9	4
8	4	5			9			
3				2		6	4	
5			6		1			3
	7	8		4				2
			4			3	2	7
9	8				2			1
		2		6	7		5	

★★

3			7	5	4			
8			6		1			
1				2		6	7	3
		8	5		6		3	
6	5						2	9
	3		8		2	4		
4	7	9		8				1
			4		9			2
			3	1	7			4

4		8		5		1		3
			7				4	
	2	9		3	1	8		
2			6			9	3	4
7								5
1	6	3			4			2
		6	2	4		5	7	
	1				9			
8		2		7		3		6

	8	3					9	1
	6	2		4				7
4		5		1	3			
	2				4	1		
8	4		6		9		2	5
		7	8				3	
			3	9		6		8
5				6		2	4	
9	1					5	7	

	8			1		3		5
1		6	4	8				9
2	3	4			7			
				6	1		2	
	9	8				6	5	
	2		8	5				
			9			4	6	3
5				4	2	8		7
9		7		3			1	

		8		7		3		
4		9	8			7		6
	7	1			2	8	4	
8	1		6	4				
	9						6	
				3	5		8	2
	2	7	9			6	5	
5		4			7	1		3
		3		1		2		

6	2	9		3				7
			9		7			1
			2	4	5			6
	6		4		9	1		
8	3						4	9
		5	1		3		6	
5			6	7	2			
3			5		8			
7				1		8	2	5

8	7		5	6				2
		9			3		1	7
					1	8		
5	3		7				6	1
		4		5		2		
1	2				8		9	5
		7	6					
3	8		4			6		
6				2	9		7	4

3			6		8		7	
4			5		7		3	9
	8			9		2		
6			2			7	1	
9				5				8
	4	8			3			5
		3		4			6	
8	1		7		5			2
	2		9		1			3

1				6	3			
3				7		4	6	8
2			4					
	8	4	6		2	1	7	
6		5				8		9
	2	1	9		5	3	4	
					9			7
8	9	3		2				4
			3	5				1

	4				7	3				2
6	7					1	8		
		3	2			9		6
			1	8		6	9	5
2								4
9	1	5		6	7			
3		1			4	5		
		6	8				2	7
5			3	9			8	

5		6	7				9	
7			1	4		8		
	8				2	1	3	
4	9	8	3	7				
		2				5		
				9	6	4	8	3
	4	9	5				1	
		5		6	1			2
	7				3	9		6

6	9	3			2			
4	1		5	6			8	
		7		9			2	1
		5	7	3				
3		8				2		4
				8	4	5		
9	8			7		4		
	2			4	6		7	3
			1			9	5	6

	3				8			
8			5	4		3		7
9		6			7		8	
1		9			3	8		2
	7			1			4	
2		4	6			5		1
	5		9			2		3
6		3		8	1			4
			2				6	

1		3		9			2	4
			2	6	5			
9						8	7	
8	3	5			7	9		
	7		5		2		1	
		4	9			6	5	7
	8	7						1
			3	2	1			
5	2			7		4		9

	7				5	2	9	
		8		6	4			5
1	4	5	3					
6		3		5			1	
	1		6		7		8	
	5			3		4		2
					9	3	2	8
4			1	7		6		
	3	9	2				4	

	9	8	4	1		3		
7	4				3	5		
	1				6			9
	3			6		2		1
6			3		4			8
9		4		8			5	
4			2				7	
		2	9				3	6
		5		7	1	9	2	

	4		1	8		6	2	
		3			7			
8	1			5			4	3
6			3			9	8	1
5								7
3	2	8			9			6
9	8			7			6	4
			2			1		
	5	7		3	6		9	

	7			3			2	
3			9		8			1
1		8	6		2	4		3
	8		1	9	3		6	
4		3				9		5
	6		8	4	5		3	
8		6	5		9	2		7
7			3		4			9
	9			8			1	

5			6		2	7		
		3		8			5	
7			1		9	6		4
1			5			8	4	
4				1				2
	9	6			7			3
2		5	9		1			8
	7			2		4		
		9	4		3			5

2		5	8			1		
	8	1	6	4				2
			5				3	7
9	1				5	4		
	6		2		9		7	
		3	7				1	5
4	9				6			
7				3	8	2	4	
		8			2	6		9

	4	3					6	
		8		5	3		7	2
		5	8		9	1		
			9	7			5	8
1			6		8			9
4	8			3	2			
		1	2		4	6		
2	9		7	1		5		
	7					2	4	

8		4			5	1		6
		5		1		2		
	1	9	3			5	8	
5	9			8	6			
	4						6	
			7	2			5	3
	3	1			4	6	7	
		2		9		3		
7		8	1			9		2

					8	2	9	1
	8	9	2			7		
7			5	3			6	
		4		9			7	2
		5	6		3	1		
6	9			4		5		
	1			6	7			4
		3			4	8	2	
5	4	7	9					

4				9	2	7	1	
1	3				8			
		2			7	8		3
3	6				5	1		
	8		7		3		4	
		9	4				6	5
7		5	2			6		
			5				9	4
	2	6	8	1				7

2					3	8		9
	5	8	4					7
	1		2	5		3		
				7	4	6	9	8
		3				1		
6	4	9	5	8				
		6		9	2		7	
8					7	5	3	
4		2	1					6

4			6		3		8	
	1			9		4		
8			2		5		6	7
2			4			7	9	
7				2				3
	6	5			8			1
3	4		5		2			9
		8		3			7	
	5		7		1			4

2		3		4		6		7
	7		6		9		5	
		5		2		1		
6		4	8		7	9		2
	8		1		2		6	
1		2	4		6	5		8
		9		6		8		
	2		9		8		3	
3		8		1		7		6

	4		1	5				6
3	9		4			2		
		6			8	7		1
6	5	2	7	4				
8								9
				2	3	6	7	5
2		5	9			1		
		4			7		3	2
9				3	1		8	

	1		3	9			8	7
6	4			8		9		
					5	6	2	3
		2		7	8			
7		4				1		9
			9	4		2		
3	6	7	1					
		8		6			1	5
9	5			3	2		4	

2				9	8		6	
		5			4		9	1
1		7	2			8		
3	7	1	4	5				
6								2
				1	9	3	4	7
		3			6	4		8
9	2		5			1		
	5		8	7				3

9	4				5			6
6		5		2	1		4	
					9	7	3	
	8	6	9					2
		1	8		4	3		
7					3	6	9	
	2	8	1					
	3		5	7		2		4
5			4				8	1

	5	3		8		9	4	
9			4		7			2
	4			3			7	
	6	4	3		1	8	2	
3			2		8			4
	7	2	5		4	3	1	
	8			2			6	
6			7		3			5
	3	5		1		2	9	

9	5			8	3		6	
			6			9		
		6	5				7	2
3	1				2		4	8
		8		1		5		
6	4		9				1	7
4	9				7	3		
		2			4			
	8		1	6			2	9

2			4		6			5
		8				4		6
	6	9		2	8			7
	4	3	6	1				
	2		3		5		9	
				8	9	7	3	
3			1	7		8	6	
1		4				5		
7			9		3			2

	1		6		8			7
		7		3			4	
9	8		5		2			1
	3	9			7			2
6				2				9
4			1			5	8	
3			2		5		7	6
	9			6		1		
7			4		9		5	

	6		4		7	5		
	9		1		5	6	8	
		7		8				3
	4		3			2		5
	8			1			7	
7		9			6		1	
6				9		4		
	7	2	5		1		3	
		3	8		2		6	

9					1		5	3
	7		3		8			9
2	1			5	6			
		6	1	2		5		
3		8				2		1
		2		6	3	4		
			4	1			7	2
4			6		9		1	
5	3		7					6

3	5	7		1		2		
			5		2	4		
			3	9	6	7		
7			9		5		4	
1		8				5		9
	6		4		1			7
		6	7	2	3			
		1	6		8			
		2		4		6	8	3

9				2		3	4	5
6			4		5			
5			3	9	1			
	5		6		2	1		
4		6				8		7
		1	7		8		2	
			5	8	3			1
			9		7			2
1	7	3		6				9

6	1			3			5	2
	5			6			4	
		2	5		4	8		
5	7		6		9		8	3
		6	8		3	5		
8	4		1		5		9	6
		7	4		6	1		
	3			8			7	
1	6			9			2	8

	1	5	8			7		
9						4	8	5
	4		2	3				
2			3	5			1	4
	8		1		6		9	
3	6			2	4			7
				9	7		4	
8	2	6						9
		7			2	1	3	

2				9				7
		9	1		5	6		
	1	6	7		3	9	8	
3			4	8	1			9
	9	8				4	5	
1			9	5	6			3
	3	1	5		4	2	7	
		2	8		9	5		
5				1				6

	7	1		4	8			5
					6		3	7
3		6			1	8		
		7			2		9	3
	5		1		3		6	
2	9		5			4		
		9	8			2		1
5	4		2					
1			6	7		9	8	

2		9				5		6
	4	1		7		9	8	
1			2		9			8
		3				2		
9			4		3			7
	1	2		9		6	7	
6		8				4		3

6		7					5	
4			5			9		
	5		4				3	1
1					4			
		8				2		
			2					3
8	3				9		6	
		4			1			8
	9					7		5

						9	1	
			1	4		8	7	
2			6					4
			3					5
	7			1			4	
9					2			
7					9			3
	8	1		7	6			
	5	9						

	1						2	
		5	6		4	7		
3			9		2			8
	5	4	8		3	9	6	
	7	3	2		6	1	5	
5			3		9			7
		8	4		1	2		
	9						4	

5		1	9		2	7		4
		9		4		8		
			8	1	7			
9								7
		2				6		
8								1
			4	3	5			
		6		7		2		
7		5	2		6	3		9

		7				3		
5	9						8	6
		3	6		8	2		
	4			1			7	
		1	5		7	9		
	5			9			3	
		8	2		6	4		
6	2						1	7
		4				5		

5		7		9	2	4		8
	9							
				1	4			
3				7			6	
7			9		6			5
	5			4				3
			1	6				
							3	
2		6	3	8		1		7

		2	9		4	7		
	8						4	
4			3		5			1
	7		8	4	3		6	
9								5
	3		6	5	9		7	
8			4		6			3
	2						1	
		5	7		2	6		

	8			9			1	
9	2		1		8		5	7
			6	5	2			
3								4
	1						8	
7								9
			3	4	9			
2	4		7		1		9	6
	7			6			3	

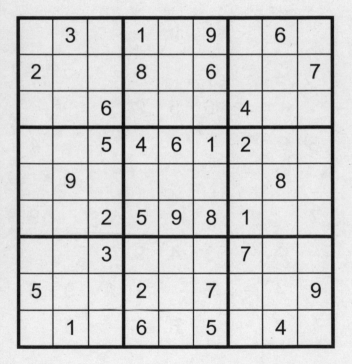

	3		1		9		6	
2			8		6			7
		6				4		
		5	4	6	1	2		
	9						8	
		2	5	9	8	1		
		3				7		
5			2		7			9
	1		6		5		4	

				1			6	3
		5	9		8			
			6				9	
	9	7	4					
	2			9			1	
					5	8	7	
	6				4			
			3		9	4		
9	1			2				

			1		7	5	6	
				9				3
			2			1	9	
	5	9	8		4	7	3	
3								6
	6	8	3		1	9	2	
	4	6			2			
7				4				
	3	2	7		9			

	7			2		3	5	9
	6			4	9			
	8		3					
		8						7
5	3						1	4
9						2		
					7		2	
			9	1			6	
7	5	1		8			9	

★★★

	2	1	4		9			
5				2				
	7	9	3		6			
	3	7	1		8		5	
1								3
	5		6		2	7	8	
			5		3	8	4	
				9				2
			2		7	3	9	

				7				
1			5		4			3
		5	2		1	4		
5		9	6		2	8		7
	7			3			6	
4		6	8		7	3		5
		2	1		8	6		
9			4		6			8
				9				

		1	4		8	2		
	5		9		3		6	
2				5				7
8		4				3		2
	6						4	
5		7				6		9
1				9				3
	2		1		4		5	
		6	2		5	8		

				9		4		
			6				9	5
			3		4		7	6
3	6		1		7		5	8
		5				7		
4	7		9		8		2	3
2	5		4		1			
1	3				6			
		7		3				

	5					1	3	
		8		4				7
6		1	3				9	
			4				2	1
9	7				2			
	6				9	5		2
2				6		8		
	3	7					1	

7			5		8			9
		4		3		8		
	1		7		9		6	
	4	9				1	5	
5								6
	6	3				7	2	
	9		1		5		8	
		2		7		9		
6			4		3			7

	1	5				8	9	
3			9		8			7
2								3
	5			1			3	
4			2		5			1
	6			4			2	
6								5
9			8		7			6
	7	8				2	4	

		5	1		7	2		
				3				
	7		9		2		1	
	8	3	6		9	1	4	
6				5				3
	5	1	8		3	7	6	
	6		2		8		9	
				4				
		8	7		6	4		

				6				
7			2		4			5
		6	9		5	4		
6		3	5		7	1		4
	1			8			5	
5		9	4		1	3		8
		2	3		9	8		
3			7		2			9
				1				

3	4			8			2	5
	2		9		3		6	
	8	6				2	5	
1		4				7		6
	3	9				1	8	
	1		4		6		3	
9	6			5			7	8

	9	6	4		3	8	2	
			2	9	8			
	8						4	
	5	9	6		7	2	8	
		1				9		
	7	2	8		9	1	5	
	6						3	
			5	6	1			
	1	8	9		4	5	6	

			3				5	
8								6
4				9	5			1
				2		6		5
2		6	1		8	3		4
7		8		3				
9			5	1				7
1								3
	2				9			

4	8		9		7		6	2
	7						4	
			4	6	8			
8	4		5		2		3	6
6								1
1	3		6		4		5	8
			1	2	3			
	9						2	
3	2		7		6		1	4

★★★

		6		3				
7	5		2		9			
2	3		1		6			
	9		7		4		2	1
		2				4		
1	7		6		8		9	
			3		5		6	4
			8		2		1	3
				6		9		

			3	1		8	7	
9			4					1
						4	6	
6					9			
	2			8			1	
			5					4
	8	4						
2					3			5
	1	7		2	8			

		3	4		7	8		
	7		5		3		9	
				8				
	1	6	3		2	4	7	
7				1				2
	3	2	7		9	6	8	
				2				
	4		9		5		6	
		1	6		4	5		

1							4	2
	4			1	7			
2					5		7	8
					1		3	
	6	1				2	8	
	2		5					
6	8		1					3
			4	7			9	
7	5							1

	1						2	
6			2		8			9
		3	4		1	5		
	9	4	7		3	8	6	
	7	2	8		5	1	9	
		6	1		7	9		
5			3		2			8
	3						4	

	1		2	7				
3			6				2	5
7							1	3
	3				6			
	8	7				3	5	
			7				9	
2	6							7
8	5				7			9
				2	1		4	

5								3
	2	9				6	1	
		7	6		9	5		
	8			3			9	
		6	4		5	2		
	9			1			4	
		1	9		4	8		
	7	8				4	2	
9								1

	9						6	3	
		1		8				5
7		6			3		2	
					8		4	6
2	5		4					
	7		2			9		4
4				7		1		
	3	5					6	

6	1		2	9				
		9	5			8		
3	5							
		5	4					
9				1				7
					8	3		
							5	1
		4			2	7		
				7	1		6	9

9							7	4
	8			4	6			
5					9		2	1
					7		3	
	2	3				9	1	
	5		9					
2	4		7					3
			4	9			6	
3	6							9

	8	2		4		3	6	
	7		1		9		2	
		1				9		
			7		3			
		3				1		
			8		4			
		5				8		
	2		3		5		4	
	9	4		7		5	3	

	4		2		6		1	
1			8		3			9
		5				4		
	9	1	3		7	6	2	
	3	6	1		5	7	9	
		7				8		
2			4		8			6
	8		7		9		5	

				5				
5		3				2		1
	7			2	3	4		6
					6	5	7	
	5						1	
	1	6	5					
7		1	9	4			8	
3		4				9		5
				3				

2			8	3	4			1
7		9	2		1	6		4
3	2		1		7		4	6
	7						3	
6	8		3		5		1	9
8		7	5		2	1		3
1			4	8	3			7

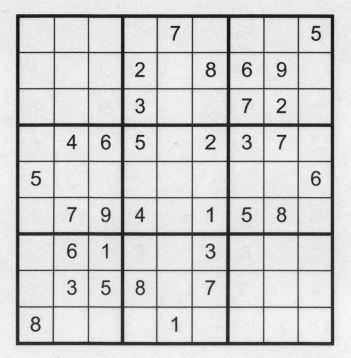

				7				5
			2		8	6	9	
			3			7	2	
	4	6	5		2	3	7	
5								6
	7	9	4		1	5	8	
	6	1			3			
	3	5	8		7			
8				1				

				5			1	
					6	2		5
			8		2	9		3
3		7	2		1	5		6
	1						3	
9		5	4		7	8		1
1		6	5		8			
4		3	6					
	8			4				

		9				5		
7			6		4			8
	8		3		1		9	
	1	3	2		6	8	7	
	7	2	5		8	3	6	
	5		7		2		4	
3			4		9			1
		4				2		

★★★

				4	8		7	
6	7	9		1			3	
			6				2	
		7						2
	5	1				4	6	
8						7		
	1				5			
	3			2		9	8	5
	8		7	3				

	1						7	
	4	2		3		5	8	
		9	1		7	4		
			2		3			
	8						1	
			9		8			
		4	8		6	3		
	3	7		9		8	6	
	6						2	

				1	6			
	6	3		2	7	9	1	
7								
		7		8				4
		4	1		5	3		
1				3		7		
								5
	8	2	9	5		4	3	
			8	6				

2		5		1	3	7		9
				4	2			
							1	
		6		2			7	
		7	1		8	9		
	8			9		6		
	6							
			4	8				
4		9	6	5		3		8

8			3		9			7
		9	4		7	3		
				6				
3		8	1		6	5		9
	5			8			6	
6		1	5		4	2		3
				2				
		5	7		1	4		
1			9		5			2

8	3						4	6
4			2		9			1
	9						8	
		7	4	1	6	2		
		9	3	7	5	8		
	7						6	
2			5		8			9
3	1						2	8

		3	9		2	4		
9								8
	1		6		7		5	
7	2		4		3		6	5
5	8		7		9		4	1
	9		8		6		3	
6								2
		1	2		4	5		

★★★

2			3		6			1
	4	6		9		8	7	
5								3
	2			3			5	
			1		9			
	5			8			4	
8								5
	6	3		1		7	2	
9			7		8			4

				8				
5			4		2			3
	6		5		3		8	
4	9		3		8		7	6
		2		5		1		
6	7		2		9		3	8
	4		8		1		9	
7			6		4			1
				2				

5				8		6	7	2
2				4	3			
9			7					
		2					3	
7		4				8		1
	9					2		
					1			8
			2	5				3
3	1	6		9				5

					6	4		
6	5	8		2		1		
			3	7		8		
	8							4
	2	9				6	7	
3							8	
		3		1	8			
		1		4		3	5	9
		2	9					

	2		7		4		6	
	1						2	
3		8				7		4
		3		8		2		
	9		1		3		8	
		5		9		1		
4		6				9		1
	5						3	
	7		4		6		5	

								7
				8	6			
	8	3		4	7	5	6	
		7		5				8
		5	8		2	1		
1				9		7		
	5	1	3	2		4	9	
			9	6				
2								

	4		9		5		2	
				4				
5			1		7			9
4	5		7		6		8	2
		3		9		7		
2	8		5		4		6	1
3			2		1			8
				7				
	6		4		3		1	

6	3		7				9	
		4	9					7
	9					8		2
3			1					
		1				5		
					7			6
9		8					4	
5					6	7		
	2				4		3	5

	5			6			4	
	2	6	5		4	3	7	
			2	7	8			
		1				9		
	4						5	
		3				6		
			6	9	1			
	9	2	4		3	8	6	
	3			8			1	

			8		1	4	2	
				2				8
			6		4	5	9	
	6		7		8	1	5	
3								4
	4	1	3		5		6	
	1	2	4		7			
6				8				
	8	3	9		2			

			9					2
	1	3		4				
		6		2	3		4	
					2			5
		4		6		3		
8			7					
	9		1	7		8		
				3		1	6	
7					5			

	3	4				9	1	
		8	4		9	7		
7								2
	6			2			4	
		9	7		5	3		
	4			1			5	
4								1
		1	5		4	6		
	8	6				5	3	

9			8		2			3
		1	3		9	7		
				7				
1		6	5		8	3		7
	8			9			4	
2		5	7		3	6		1
				8				
		2	4		7	5		
6			2		1			4

9	5						2	1
			6		1			
8		1				9		6
	2		9		7		1	
			5		3			
	6		8		4		7	
4		2				3		5
			3		2			
1	8						6	4

	2						7	
8		9				1		4
		7	1		9	6		
3				8				1
		4	7		3	9		
1				2				5
		5	3		1	8		
4		3				5		6
	8						1	

1								5
3	2						4	6
	6		7		4		8	
		8	2	1	7	4		
		1	9	3	5	6		
	9		6		8		3	
2	4						5	9
8								4

	4	8	3		6	5	1	
		1	9	5	8	4		
9		7	4		1	8		6
8								1
4		2	8		3	7		5
		4	5	8	9	6		
	7	9	6		4	1	2	

	7		1		2		8	
6			4		9			7
		8				3		
	2	1	5		4	7	6	
	6	5	3		7	1	4	
		9				5		
1			9		8			2
	3		6		5		9	

	9		2		8		1	
	2	3				7	8	
6								9
		8		6		4		
	7		5		9		2	
		5		3		8		
3								8
	5	7				1	4	
	4		8		5		3	

7			9		4			3
		8				4		
9		4		6		7		5
			8		7			
		2				9		
			6		9			
1		9		7		3		8
		5				2		
3			2		5			6

	2							
1		4		2	7	9		8
				3	9			
	1			9				5
4			2		6			1
5				4			6	
			3	6				
7		6	5	8		3		4
							5	

				1		6	8	
2			5					
		9					4	
		4	2					9
	8	2		6		3	1	
7					3	8		
	6					1		
					7			3
	4	5		8				

	3		2					
			3		6	8		
9	2			4				
			7			5	3	
	4			3			1	
	5	6			8			
				1			4	3
		7	9		3			
					7		2	

							5	
			8	1				
2		8	6	5		3		9
	4			3				7
9			4		5			3
7				8			9	
3		1		2	7	4		6
				4	1			
	7							

6	4	3		1		7		
				5	2	3		
			6			9		
	3							9
	1	8				6	5	
2							3	
		1			8			
		2	3	7				
		7		9		2	4	8

				6	8			
6	7			4	5		9	8
						5		
	5			9		6		
	9		6		2		1	
		1		3			5	
		2						
9	1		7	2			4	3
			3	8				

7			8		9			2
		1				9		
8		9		3		7		6
			1		7			
		4				8		
			3		8			
5		8		7		2		1
		6				4		
2			4		6			3

7		9				2		4
	8						1	
	1		2		4		3	
		6		5		8		
	5		8		7		9	
		7		9		1		
	2		4		3		6	
	6						7	
4		3				5		8

		4	7		5	8		
	5						1	
6			1		2			3
1	4		6		7		9	5
7	8		3		9		4	2
4			9		1			8
	2						3	
		7	5		3	6		

6		8		3				
1		2						
	3				4		7	
8	5				7			
3				8				6
			9				2	5
	9		2				6	
						2		8
				6		4		1

9	5							8
				8	6		5	
7	6				4			9
	3				8			
	7	9				8	2	
			4				9	
3			8				7	2
	1		5	6				
8							4	6

	5		8		2		9	
6		1		4		7		8
	2						3	
		3		2		9		
			4		5			
		7		6		3		
	3						6	
1		9		5		8		2
	7		6		1		4	

1			4		5			3
	7			6			9	
		2	1		9	4		
	6	7				2	1	
5								7
	8	4				6	5	
		9	6		3	8		
	4			9			7	
8			2		7			4

4	7						1	5
	9		1		7		6	
		2				9		
8				4				1
	5		9		8		7	
1				2				3
		4				1		
	3		8		1		4	
5	8						3	6

		2				9		
1		8	6		9	4		2
			2	8	4			
8		3	5		1	2		4
7								8
4		5	8		2	3		7
			7	1	3			
2		7	9		8	1		3
		1				6		

				6		5		9
2						4		
	3		1					
4			3				2	
3		5		9		6		7
	8				7			5
					8		7	
		9						6
1		4		5				

	2		3		8		5	
		9	5		2	8		
				4				
	9	5	6		4	2	1	
1				9				4
	6	4	1		3	5	7	
				7				
		6	2		1	7		
	1		8		6		3	

	7						5	
	1		2		5		8	
2		9		6		4		3
		1		5		7		
			6		8			
		7		3		9		
5		2		8		1		4
	6		3		4		9	
	3						7	

	2	4				7	6	
3	9						2	1
			7		4			
1			3		2			8
			6		7			
4			5		8			9
			1		9			
6	5						9	4
	3	9				5	1	

3			9		1			2
7								1
	8	9		4		5	6	
	7			5			8	
			4		2			
	3			1			7	
	9	1		2		6	3	
5								7
4			5		6			8

	7	8		5		4	2	
6		1				3		8
7			1		6			5
		4				6		
3			4		5			2
8		9				5		4
	3	5		7		2	1	

			4			7		
5	1			6				
	2			7	1			9
		4	3					
	6			5			8	
					7	2		
8			6	3			5	
				8			6	1
		3			9			

	6					2		1
	3	4	9				6	
7			6			9		
					9	4		
8								5
		3	8					
		5			4			9
	2				7	5	3	
1		6					7	

		5		9		2		
			8	7	4			
	9	4	2		5	7	1	
	1						9	
		2				5		
	3						6	
	4	6	1		2	9	8	
			3	6	9			
		1		8		3		

9						3		
				1		5		2
	6		4					
3			6				9	
6		5		2		1		8
	7				8			5
					7		8	
4		3		5				
		2						1

★★★

	2	5	7		3			
6				2				
	1	3	4		9			
	4	1	5		8		6	
5								4
	6		9		2	1	8	
			6		4	8	7	
				3				2
			2		1	4	3	

		9	5	4				
		3		8		9	1	7
		6			7			
6							9	
	4	7				2	8	
	9							5
			2			8		
2	1	5		6		3		
				3	9	5		

7								1
		8	4		2	7		
	9		6		3		8	
5		9	1		8	6		4
4		2	5		6	9		8
	4		3		7		2	
		1	9		5	3		
3								5

	1		7		4		6	
2			1		6			5
		9		3		4		
9		6				2		7
	7						5	
5		3				1		8
		8		1		6		
6			2		7			4
	5		9		3		1	

9			5		1			2
	6						9	
		2		4		8		
	1	8	3		2	5	4	
			6		8			
	9	3	4		5	6	8	
		5		6		7		
	3						1	
7			1		3			8

	7				6			
				9	3	5		1
								4
	5	7			8		6	
2				5				9
	4		7			1	5	
5								
9		1	5	2				
			3				8	

6		5						
8		7	5	3				
	3		2				4	
	1		9					
		3		5		7		
					4		6	
	9				6		7	
				7	2	8		5
						1		6

					8			7
	6		4	7		5		
	4	3		2				
8					1			
	2			3			9	
			7					6
				9		4	2	
		9		1	2		3	
1			5					

	4				3			
	9		6	5				
	2			8		3	9	7
		4						9
5	3						1	8
9						6		
7	6	1		4			2	
				2	9		6	
			1				8	

	6		9		4		8	
				2				
9			8		1			7
7	9		1		5		4	6
		2		3		8		
6	4		7		2		1	5
4			5		3			1
				1				
	3		2		9		5	

6	7		9		4		3	5
3								9
			5	6	3			
1	5		3		6		2	8
	2						6	
8	6		7		1		5	3
			8	7	2			
7								4
2	3		6		9		8	7

	6		9	3				
	7				4			
	2			1		4	6	8
		7						6
3	4						5	1
6						9		
8	9	5		7			2	
			5				1	
				2	6		9	

3								2
		1	4		2	5		
	8		3		6		9	
7	2		9		4		3	5
5	6		8		7		4	1
	1		7		3		5	
		9	2		8	4		
8								6

		8	9					
		4		7	1			
		7		5		4	2	9
	1							5
	8	9				6	3	
4							1	
6	2	1		8		7		
			4	3		1		
					6	5		

6	8						4	2
2		3		1		9		5
	1		7		9		2	
4								7
	3		2		4		5	
8		1		2		5		4
9	7						8	3

★★★

4		9		2				
1		7						
	2		1				5	
					3	7	8	
		2		7		6		
	1	8	5					
	3				4		6	
						9		1
				6		2		7

		7				6		
3		6		8		5		9
5			3		6			4
			8		3			
		1				3		
			7		5			
4			1		9			8
2		3		5		4		7
		9				1		

★★★

			3		4	6		5
					2	4		7
				7			8	
6		7	1		9	3		8
	8						5	
5		9	4		8	7		2
	3			1				
1		5	2					
8		2	7		3			

	2		5		9		6	
		9				8		
3			4		6			1
		1	6	2	7	5		
7								2
		5	3	4	1	6		
4			1		2			8
		3				4		
	9		7		4		5	

				7				9
			4		5	6	3	
			2		9	7	4	
	2	4	3		8	5		
8								4
		5	9		1	3	2	
	8	9	7		6			
	7	2	1		4			
5				9				

4		6				1		9
		5	1		6	3		
	7						5	
1				7				8
		9	5		2	6		
2				4				1
	4						1	
		8	2		1	4		
9		2				8		3

	5	4				1	8	
9			5		4			7
7								6
	7			8			1	
8			6		1			3
	6			3			2	
1								2
2			4		9			5
	3	6				4	9	

3	2	6		1				8
			6					5
				2	8			4
		8					5	
7		3				9		2
	1					6		
4			8	9				
1					7			
6				5		8	7	3

			2		6	3	1	
				4				9
					5	4	6	
	4	1	7		8	9	2	
9								3
	8	3	6		9	5	4	
	3	7	5					
2				7				
	5	9	4		2			

2			1		8			9
	7		9		6		4	
		9				8		
4		7	8		5	3		1
1		8	2		3	7		5
		6				2		
	1		5		9		3	
3			7		4			6

5				9				1
	1		2		5		4	
		4	6		3	9		
7		6				1		4
	5						7	
8		2				5		6
		1	8		9	2		
	3		1		7		8	
9				6				5

		4						
9	3		4	5			6	2
			9	2				
	4			7		8		
	8		1		2		3	
		2		3			4	
				9	7			
7	5			1	6		8	3
						1		

	8		9		6		7	
9			8		1			5
				7				
8	2		5		9		3	7
		9		4		2		
4	3		2		8		6	9
				2				
6			1		5			3
	4		6		3		1	

4	8						7	3
		2		7	8		9	6
				4				
	6	3	4					
		4				3		
					6	2	4	
				8				
2	3		5	9		1		
8	9						5	4

				5	8			
7		8		2	9	5		1
	9							
	5			7				9
6			5		4			7
9				3			6	
							4	
2		3	1	4		7		6
			3	8				

9					4			
		5				2		
		6	9	8		7		
				4		1	2	
	4	7	2		6	3	5	
	5	9		3				
		1		6	9	8		
		4				6		
			8					3

		2	1		9	7		
	3		7		2		6	
				6				
	4	9	6		7	3	5	
1				2				8
	5	3	4		1	6	7	
				1				
	9		8		6		4	
		5	9		3	8		

	6	7	1		9	2	4	
		5		6		9		
			7	2	5			
	2						5	
		8				1		
	7						9	
			4	3	6			
		1		7		8		
	9	3	8		1	4	7	

7					1			4
						9	6	
				4		5	2	
9	8		3					
	2			5			4	
					7		5	8
	6	1		2				
	5	9						
2			9					3

	6			8			3	
7	1		3		6		2	8
			2	1	9			
8								7
	3						6	
5								4
			8	5	4			
9	8		6		7		5	2
	4			9			7	

				6			1	
					7	2		6
			1		8	7		5
7		8	5		4	3		2
	2						5	
5		1	3		6	8		9
2		9	4		1			
8		4	7					
	5			8				

	2		1		8		9	
6		4		5		1		7
	8						3	
7				4				3
			5		2			
3				8				9
	3						4	
9		6		2		8		1
	7		4		6		5	

3		2		5		8		7
	9	8				1	6	
	2		8		9		7	
		4				9		
	8		4		3		5	
	6	7				3	4	
2		9		8		6		5

	4		9		1		8	
9								4
		7	5		4	2		
2	6		3		8		1	9
3	1		6		9		7	2
		3	4		6	1		
8								5
	5		7		2		3	

	2			3	9			4
		3	6					
				8			5	9
		4			3			
7				5				8
			1			6		
8	9			7				
					2	1		
5			8	1			7	

			7			3		
	7		5		4			
				8		9		5
	1	6	2					
		9		5		8		
					7	5	6	
4		3		9				
			1		5		2	
		5			3			

	4	9		3		5	2	
		7	8		9	6		
4		6				2		7
8	7						9	5
9		2				3		1
		1	4		6	9		
	6	8		2		1	3	

				7	8	4		
			2			5		
3	2	4		6		9		
4							5	
6		1				2		7
	8							4
		9		5		8	1	3
		6			1			
		8	4	9				

	6	4		5				
			2		7			8
	2		6					
			1				2	9
	5			2			3	
7	9				8			
					1		6	
1			4		2			
				3		2	5	

3	5						1	
		2		9				8
	9				6	2		4
			7			1	2	
	3	6			2			
1		9	5				6	
8				7		3		
	4						5	1

			3					6
	5	9		7				
		8		6	9		2	
3			1					
		7		5		4		
					6			8
	4		7	1		5		
				4		7	9	
1					2			

		9	1					
	5							7
				2			6	4
	2		9			1		
5	9			7			8	2
		3			8		4	
2	7			5				
4							3	
					6	8		

1		9				5		3
	6		9		1		2	
	2						4	
2				3				5
	3		5		4		7	
4				7				8
	5						8	
	8		6		9		1	
7		4				9		6

			5	9	2			
8	9		1		3		2	4
	1			4			5	
1								2
	3						7	
5								9
	7			2			3	
2	8		3		7		6	1
			4	6	8			

	6		9		8		5	
		7	5		6	8		
				4				
	7	5	1		4	6	2	
2				7				4
	1	4	2		9	5	3	
				3				
		1	6		2	3		
	2		8		1		9	

	2		4					5
		6					3	8
5		7	6			9		
4			2					
	5						1	
					1			7
		8			2	7		4
9	3					8		
2					8		6	

6		4				8		7
	1	2		3		4	5	
4			9		1			3
		9				6		
2			4		6			5
	2	6		4		7	3	
7		5				1		9

			1		9	4		
	6		4					
1	7			3				
	1	5			4			
	3			1			7	
			2			8	5	
				7			6	9
					6		1	
		2	8		1			

		6	5		4	3		
8			6		3			2
				2				
7		5	3		2	8		1
	4			6			9	
1		8	4		7	2		3
				4				
5			2		9			7
		1	8		5	9		

		7	6		8	1		
		8				3		
2	5			4			9	6
	3			8			1	
			4		7			
	9			2			3	
5	1			7			6	8
		3				2		
		9	2		5	4		

5			7		3			1
		3				7		
	1			9			2	
	2	8	6		7	3	5	
			5		9			
	9	5	2		8	4	7	
	5			8			6	
		4				9		
6			3		2			4

6	8	9		2				4
			7	4				6
					9			5
		2					7	
1	3						5	9
	7					6		
2			1					
7				3	6			
4				5		1	8	7

		1	8		4	9		
4			3		5			7
	3						4	
5	2		6		3		9	1
6	9		2		7		3	5
	7						8	
8			1		9			2
		2	4		6	5		

	1			9	8			3
				7			5	8
		9	4					
		3			9			
2				5				7
			6			4		
					1	6		
7	8			2				
5			7	6			2	

7				8				3
			7	6	5			
5		8	3		9	1		6
		5				3		
2								9
		6				7		
4		3	9		2	5		1
			8	4	1			
9				5				2

	9	2				6	8	
			7		8			
8	3						7	9
		6	9		5	8		
			2		1			
		7	3		4	5		
6	4						2	1
			1		6			
	8	3				7	4	

		4		2		8		
	6		1		3		4	
2			9		7			5
	3	1				4	9	
5								3
	8	2				7	5	
4			3		6			2
	5		2		4		1	
		6		7		9		

		4			3	7		
5	9							
6	1			4	9			
			7			5		
	4			9			1	
		8			2			
			3	1			6	9
							8	5
		2	5			1		

9					8			
				1	7	5	2	
						7		
7	2				6			4
		5		7		1		
3			9				6	7
		4						
	7	2	8	5				
			3					6

			6	7				
3		6	2	5		7		8
	2							
	7			3				2
4			1		7			3
2				9			4	
							1	
5		9		1	8	3		4
				6	9			

	4						2	
8			1		3			4
1		9				6		3
		1		6		5		
3			4		5			9
		7		2		1		
7		8				9		5
6			5		1			7
	1						6	

	4		6		3		5	
		5	1		8	2		
9								4
5	2		7		1		3	6
6	1		9		5		2	7
7								8
		3	8		4	6		
	8		2		7		9	

			5	4	3			
	8			2			9	
	4	7	8		9	2	3	
		2				7		
	9						8	
		6				1		
	2	5	7		8	3	6	
	1			5			7	
			1	6	2			

	1							
9		2	1	8		6		7
			9	7				
	7			2		1		
		5	4		7	2		
		1		3			5	
				9	3			
3		8		4	6	5		2
							4	

		8	1		5	6		
				8				
7			6		4			1
8		2	7		1	3		6
	3			9			1	
1		5	3		6	2		9
2			4		7			5
				3				
		4	5		2	9		

		2	4		5	9		
4								3
9		6		7		5		4
			5		7			
5								1
			9		3			
2		3		9		8		5
1								6
		7	6		1	2		

				2		7		4
	8		1					
		5						9
		9	8				5	
4		8		7		6		2
	3				6	4		
7						2		
					3		6	
9		1		4				

2		9				3		8
6			4		1			9
		8				1		
8			3	5	7		1	
	4		9	6	2		5	
		2				5		
1			7		8			4
8		4				6		3

	6	1				2	8	
9		2				4		5
			5		9			
	8		6		2		3	
			4		5			
	9		7		3		1	
			8		1			
1		6				8		7
	4	7				1	9	

			6	3	7			9
5			6	3	7			9
7	9		1		2		5	3
4		9	7		1	3		8
		7				5		
8		6	9		5	2		7
6	8		2		9		4	5
9			3	7	6			2

6	5			2	3		8	1
		3						
				8	5			
		8		6				3
7			8		4			6
3				9		7		
			9	5				
						4		
2	9		1	4			6	7

					5	3		
1								4
8			3	9				7
2	1			5				
6	4		1		7		5	8
				6			4	3
9				7	3			2
7								5
		6	9					

		1	7		6	3		
5								7
	3	7		9		6	8	
	7			5			4	
			8		2			
	9			4			7	
	5	9		1		4	6	
2								8
		8	4		7	1		

1		3		2		6		9
		8	4		9	3		
	5	2				9	4	
8	7						6	5
	3	1				2	8	
		9	6		8	5		
2		7		1		8		4

	4						2	6
8				5		7		
6		1	2				3	
			5			6	9	
	7	3			9			
	1				3	9		4
		9		1				8
7	2						6	

4								9
6			8		9			2
	8	3		5		7	1	
		4		1		3		
			5		2			
		6		9		4		
	9	8		2		6	7	
5			1		7			3
1								4

4		8	5		1	7		3
1								8
			8	3	4			
8		4	6		7	3		2
		3				9		
2		9	3		8	4		6
			9	7	2			
5								7
7		2	1		3	8		9

				5	6	7		
			4			2		
4	8	7		1		5		
1							6	
	9	3				4	2	
	6							7
		5		2		6	8	3
		1			3			
		6	7	9				

	2		5					
7						6		
				3		1		9
6			2				7	
2		1		9		3		4
	8				4			1
5		6		1				
		9						3
					8		4	

7			8		2			5
5								6
	2	8				9	3	
	5			3			9	
3			9		6			4
	6			4			1	
	4	6				8	7	
9								1
1			7		8			2

			9	5	6			
9								4
5	7		2		4		9	6
8	5		3		7		6	9
	1						5	
3	6		5		9		1	8
1	9		4		5		8	7
7								2
			1	7	8			

				7	5	1		
	9	1					7	
	6	5			3		9	
		8			7			
9		6				2		7
			3			9		
	8		7			6	2	
	7					3	5	
		4	1	5				

	1		4		3		8	
		5	6		7	4		
4								2
9			7	4	2			1
		6				3		
1			3	6	9			7
5								8
		7	9		4	2		
	9		8		1		6	

7						3		
					1		9	
5		6		2				
	3				9	7		
2		8		6		9		5
		5	8				4	
				5		1		7
	8		4					
		2						6

	1						4	
5			9		6			8
3	2						5	9
		8	6	1	3	9		
		1	4	2	7	5		
9	3						7	4
7			8		5			2
	8						9	

5			8		6			7
	2						3	
		1	4		3	9		
6	5		9		1		8	4
1	7		3		8		5	2
		5	1		4	7		
	4						6	
9			6		2			3

4			9		6			1
	7			3			4	
		1				5		
	6	3	4		2	9	7	
			7		5			
	5	7	6		3	1	2	
		9				2		
	8			5			6	
7			2		9			8

9					4			
3				5		2	4	6
6			1	7				
	9					6		
4		7				5		8
		6					1	
				3	6			1
1	8	2		9				3
			8					5

			9			7		
	3				7	1			2
6	1			2				
					7	5		
	2			3			1	
		8	4					
				1			6	3
9			6	4			8	
		4			5			

3								6
	9	8				5	7	
		2	8		5	3		
	1			6			8	
		5	3		4	9		
	8			7			4	
		7	4		8	1		
	2	1				4	9	
8								7

		6			5	7	3	
4	2					5		
	3				8			9
	7		1					
1								3
					9		8	
5			2				9	
		2					6	4
	8	7	9			2		

				8	3	6	1	
2					4			
						3		
3	1				7			9
		6		3		8		
5			2				7	3
		9						
			5					7
	3	1	4	6				

	8	3		2				
					5			6
	9					7		
5					6	2		
	2	4		9		6	7	
		8	4					1
		1					8	
4			3					
				7		9	2	

		1				7		
6			8		9			5
	9		3		7		4	
		9	5	8	6	3		
4								2
		3	9	4	2	6		
	3		2		8		7	
1			6		4			8
		8				5		

	3		2					
		6						5
				1		7		4
		5	3				6	
4		3		7		9		1
	8				9	4		
5		2		4				
7						1		
					8		9	

	3	8		6		4	1	
1	5						9	2
6			2		9			4
	2						3	
8			6		3			5
3	6						7	1
	8	9		4		5	6	

				1		4		2
		9						7
	8		6					
		7	8				9	
2		8		4		3		1
	5				3	2		
					5		3	
4						1		
7		6		2				

4	5	9		8				3
					9			1
			5	7				2
		8					5	
6	7						4	9
	3					1		
2				6	5			
8			3					
5				1		6	3	4

			3		9	1		4
			8		5	3		7
				4			2	
2			6		1	7		5
	5						1	
6		7	4		8			2
	4			3				
9		6	5		2			
3		5	7		4			

★★★

		2				8		
3			2		1			7
	4		5		8		9	
	8	3	1		4	6	2	
	1	7	6		9	3	5	
	3		8		6		7	
1			9		2			4
		5				9		

	5			7			3	
		4	8		1	7		
3			2		6			9
8	3						2	6
		6				4		
4	1						7	5
2			7		3			4
		7	6		9	3		
	8			1			9	

4	9						1	2
			4		2			
	8	3				5	9	
		4	6		7	8		
			2		1			
		5	9		3	6		
	7	1				4	8	
			8		5			
8	3						5	7

★★★

							1	7
				9			6	5
		4	1			9		
			4			1		2
3				7				9
7		2			8			
		3			6	8		
9	7			3				
5	1							

	1			2				
2		4	6		1			
8		7	4		9			
9			7		5	6		4
	4						5	
7		6	1		3			9
			3		4	2		6
			2		8	5		1
				1			9	

				3	4			6
			2		6	8		
						1	4	9
7			1	9				
	5						6	
				7	8			2
5	1	8						
		3	5		9			
9			4	8				

			4					
4				6	9			
2	3					6		
3				2			8	
	5		6		7		1	
	7			1				6
		5					2	3
			9	5				1
					8			

	4		1				7	
						4		1
		2	4				9	
9		3			2		6	
			7		3			
	6		9			1		3
	7				8	9		
2		4						
	5				1		3	

5			3	9				
9			7		2	1	8	
		2				3		
2	6		5					
		4				5		
					4		3	7
		1				7		
	3	5	8		6			4
				7	3			8

		9						
				1	3	6		
					7			
	6						5	4
	8			2			9	
3	7						1	
			4					
		5	9	8				
						3		

	7	4	2					
				4		7	9	
9	1		8					3
		3					8	2
2	9					4		
7					6		3	1
	3	8		9				
					5	8	6	

5				6				
6		1	4					
3	8							
	1				3	7	2	
		3	1		4	8		
	6	7	5				9	
							3	5
					9	2		1
				2				7

			3					8
		2					6	
	5	1		7		2		
			9		8			2
		7		5		9		
3			4		7			
		3		9		7	1	
	9					5		
4					6			

		4				6		1
			5					9
	8			2		7		
	2			8			1	
			9		5			
	3			6			5	
		7		4			8	
8					9			
6		1				2		

			8				6	5
				6	4			9
8								
	3			2		4		
	8		6		9		7	
		1		8			3	
								7
5			2	7				
9	1				5			

	8		1	2				
2	9				7			
							7	
		1		5				4
6			8		2			7
4				7		3		
	6							
			9				8	3
				6	5		9	

					3			
6								
				5	4			7
	7					2	9	
	1			8			6	
	3	4					5	
9			6	1				
								4
			2					

			1			5		
		8		4			2	
7			9			3		4
	8	7			3			
4								8
			2			6	5	
8		6			9			2
	3			7		1		
		2			6			

2					5		3	8
					1	9	5	
	3	9		4				
		3					9	7
7	4					6		
				6		2	4	
	2	6	7					
4	8		9					3

★★★★

	8							2
5				1			6	7
		4			5			
		3	9		1			
8				2				1
			8		4	5		
			6			9		
1	2			8				6
7							3	

9			2					
6		5				1		
		3		4			9	
	7			6			8	
			8		2			
	1			9			5	
	9			1		3		
		4				6		5
					8			2

4			1				7	
		7			3	8		2
			9				4	
7		6		2	9			
			4	1		6		5
	6				1			
9		2	3			1		
	7				6			9

	2	7						
3					7	8		
4					2			7
9			8			5	3	
			5		4			
	5	2			3			9
5			2					6
		3	1					4
						7	8	

			9				5	
3				1			6	9
	4	5	3					
	7	9	4				2	
		3				8		
	5				1	9	3	
					2	1	8	
6	1			4				2
	9				7			

							5	
	1		2	6				
			8					
		6				8		2
		5		3		4		
9		7				1		
					9			
				4	5		7	
	2							

1	5			9			6	
	6							4
					8	3		
		8	9		7			
	9			1			2	
			3		2	6		
		7	4					
2							1	
	8			2			9	5

					3		7	2
	2				1			
	8	1		9		3		
	6				7		4	1
5								3
1	3		9				2	
		6		7		8	9	
			4				1	
9	5		6					

7		3		8		5		
			5				7	2
4			9					
6			7				4	1
	1						2	
9	4				8			5
					4			6
8	6				1			
		1		7		4		3

1					8			
		2					9	
	8			6		4	3	
			2		1			8
	2			9			6	
7			5		6			
	6	9		2			4	
	3					7		
			4					5

					9	8		2
6		8		3				
	4				2		7	6
3	1					5		
		6					1	8
7	3		8				6	
				5		4		3
4		5	1					

★★★★

		2	7			4	3	
			8				9	6
9	4			6				
	7	8						2
6						8	4	
				4			2	7
7	5				1			
	2	3			5	9		

	3					5		7
				3	8			9
			9					
3				1		2		
		1	3		2	6		
		4		7				5
					4			
1			8	6				
5		7					6	

					9		2	8
3								
			5	3				9
		4		5			6	
	3		7		8		1	
	6			1		2		
8				7	4			
								1
9	7		1					

3	5		6			1		
6			4					5
	9				1	7		
7	4							
		9				6		
							2	8
		5	9				7	
1					4			3
		6			7		8	1

		9					6	
	3			7		8	1	
2					3			
5			4		7			
	9			6			7	
			9		2			3
			8					4
	7	6		9			8	
	1					5		

1			8		3	9	4	
	3						5	
2			5	1				
3		7	2					
	6						2	
					6	5		8
				8	5			9
	4						8	
	2	5	9		7			6

		2	4	9				
6								4
		9	7		6		8	1
					3	7	4	
3								2
	5	6	2					
2	4		8		5	3		
1								7
				7	4	8		

							3	7
	5					9	6	
		7	8		2			
				1				4
		8	7		3	5		
1				4				
			6		1	7		
	3	9					8	
4	6							

		1	3	8				
3	4	7						
	9		1		5			
				7	4	2		
1								6
		5	9	2				
			7		6		8	
						6	9	4
				9	3	7		

				1				8
			9			1		2
							6	3
	4	8			3		9	
		6	7		2	5		
	2		6			8	1	
6	5							
4		2			7			
3				4				

			6					
		3	4	5				
						9		
8	2							3
9				7				1
5							4	6
		4						
				1	9	8		
					2			

5		8						4
7				1			9	
		3	2					
	2			5			6	
			3		2			
	8			9			1	
					3	9		
	9			4				7
1						5		8

8			2			1	7	
		1	3			6		
9					5		2	
						7	4	
5								8
	3	2						
	5		1					2
		8			3	9		
	9	6			8			1

	2			3			5	6
8							1	
		9			2			
			5		9	8		
	5			6			3	
		7	4		3			
			7			4		
	6							3
2	1			5			7	

	2				6			
		4		8				1
	9	3				7		
6				3				5
			6		2			
9				1				8
		8				9	3	
1				7		4		
			2				1	

	5	7	1					
1				2			7	6
			9				8	
	1				2	8	9	
		5				3		
	3	8	7				4	
	4				8			
8	6			7				3
					3	4	2	

422

	8						2	9
		4		5			6	
			7					4
		2		4		8		
			3		7			
		3		9		1		
7					3			
	6			8		4		
2	9						5	

	8	7						3
					9			
		9	4	3				
		8		7			5	
	6		1		3		2	
	1			2		3		
				6	4	2		
			5					
6						8	7	

	4		2	1				
			7					
							6	
8		5						4
6				9				3
1						2		7
	2							
					5			
				3	6		8	

	4							5
6				7			9	8
		2	6					
		1	7		3			
4				5				7
			2		4	6		
					9	3		
7	5			4				9
8							1	

		7			3	4	1	
					1		7	
	2			6				5
9	1		7					
		4				8		
					5		6	4
7				8			4	
	9		2					
	5	8	3			6		

4				9			1	
		8			7			
2		6						5
	6			1			9	
			7		8			
	7			2			3	
9						2		6
			8			1		
	1			5				4

2	4						8	
	9			1		6		
6			7					
		8		6		4		
			3		7			
		5		2		3		
					3			7
		6		8			9	
	1						2	4

	1		8				3	7
			5			6		8
7		6		4				
4	9					2		
		7					9	6
				2		1		4
1		2			9			
3	4				6		7	

5	6			9			7	
3					4			
					7	5		2
4		3	9					7
		8				2		
1					5	3		8
9		1	8					
			3					1
	8			5			3	6

								7
6				5	1			
					9			
	3	2				6		
		7		4		8		
		5				9	1	
			3					
			7	8				2
1								

		9	2					1
		8			1		3	4
	3				6		5	
							4	7
		2				8		
6	1							
	8		6				9	
9	5		8			3		
2					3	1		

					4			
		6		1	9			
						3		
8	7							6
3				2				5
1							9	4
		9						
			3	5		8		
			7					

	2			1			4	7
8							9	
		6	2					
		5	1		3			
	4			7			1	
			6		4	8		
					5	3		
	7							1
2	9			4			5	

8			3		9	7	4	
	5						2	
3				5	7			
5		7			8			
	4						8	
			4			9		6
			7	1				4
	7						6	
	2	3	5		6			1

		6		3			8	
	9						5	1
			7					6
		5		6		9		
			4		7			
		4		1		2		
7					4			
5	1						3	
	8			9		6		

	6	8			2			
4	7				6			1
				9		8	7	
		3					9	5
5	8					7		
	9	1		3				
7			8				4	9
			5			3	1	

		9	1					
4	7				8			5
		5	6				9	
				7	1		5	2
2	3		9	6				
	1				2	5		
6			8				1	7
					6	2		

5				3				6
9		7	6				5	
	4		5					
2		9	4					
	6						3	
					7	1		2
					8		7	
	1				9	8		4
7				5				3

			3	1	9			
		5						6
			2					
							8	5
7				4				9
1	2							
					5			
3						1		
			6	7	8			

	6				4			
4	2			3				1
					1	6	9	
	8				9	4	5	
		7				1		
	1	4	3				6	
	7	3	8					
8				9			3	2
			5				4	

8	7		9				4	
3		2	5					
				2		3		7
		4					5	9
7	5					2		
4		9		7				
					1	9		6
	3				6		8	4

450

					2	8	5	
6	3			7				2
	8				6			
	2	6	7				8	
		4				2		
	9				5	6	1	
			1				6	
9				5			7	3
	4	7	9					

1					7	2		
8					5			9
	6	4						
	2	9			6			3
			1		9			
3			2			5	9	
						4	5	
4			5					1
		6	4					2

		7	3				9	
		3			6		8	4
8					1			6
2	5							
		6				9		
							1	7
4			1					3
3	2		7			6		
	7				9	8		

		1		9	7			
	9						4	
		3	1		2		6	7
7		9			3			
	6						3	
			6			8		2
1	4		9		8	5		
	7						8	
			7	5		6		

7				3		9		
		1				6	5	
					4		2	
8				6				4
			4		2			
3				7				5
	7		2					
	6	5				3		
		9		1				7

	5				3	8		7
3				9				5
					5		6	
					6	7		2
	9						3	
2		1	8					
	8		4					
9				5				8
6		4	7				1	

						8	3	
					9	6		1
				1		7		
	6				3		1	7
3			6		5			4
7	2		8				9	
		8		2				
6		2	5					
	4	3						

		4	5			6		
3	8							
		2	9				1	
		7			1		5	6
			6		2			
1	6		3			7		
	3				8	1		
							8	5
		8			5	2		

		6						8
			3				4	
9		7		1		3		
			1		2		5	
		1		6		8		
	3		4		8			
		9		8		1		6
	2				9			
5						7		

		3					5	6
			7	3			1	
					9			
2				1			4	
3			4		2			1
	5			6				9
			8					
	8			4	7			
5	6					4		

	6				3	2		1
		1			7	3		
	5		6					4
9		8						
	3						4	
						5		7
5					4		1	
		2	7			6		
8		6	5				3	

	4	9			5			
	1			4				
8	7							
9			7			3		2
		7	5		9	8		
4		3			1			6
							1	7
				2			3	
			6			2	9	

		8			1	2		3
					6		9	1
3	9			5				
	3					4		9
5		4					7	
				7			8	5
8	7		4					
2		5	9			3		

					9		2	7
	1	4		6		9		
	7				4			
4	9		6				7	
5								9
	3				2		8	4
			8				4	
		3		2		1	6	
6	5		3					

			5			7		
6		3	4					
	4			8		6	1	
7		2	6			9		
3								2
		4			8	5		7
	7	1		6			2	
					2	8		9
		9			7			

9			2					3
	6	7						
8			4			5		
1					5	2	3	
			3		8			
	5	3	6					1
		6			7			5
						7	2	
7					2			8

	7	3				9		
							6	7
2			9		3			
				1	4		9	
4		7				6		8
	8		7	9				
			5		2			6
6	4							
		5				8	4	

★★★★★

							3	
				9			6	7
		4	2	8				
			5			1		
	6	2		3		7	9	
		8			4			
				1	8	5		
3	7			6				
	1							

★★★★★

		1				8	7	
				1		3	4	
6			5					
8					6			
	4			7			1	
			9					2
					8			9
	3	7		4				
	2	8				5		

★★★★★

		8	6		2			
						1		3
1	2						6	
				7	4			6
	1	4				9	3	
9			1	6				
	5						9	4
4		3						
			5		8	3		

								3
	6		1					
5	4			9		2		8
			7				4	
8				3				9
	5				6			
2		3		8			5	4
					5		7	
4								

★★★★★

	8		2					5
							1	
		3	4		6			
9								7
	5			8			2	
1								4
			3		7	8		
	2							
4					9		6	

		4						
2			8			3		
			6		1		5	
9								7
		8		3		2		
6								4
	3		5		9			
		1			7			6
						8		

★★★★★

1					4				
	7						4		
						2	6		
		6					9		
	8				3			7	
		2					5		
		9	6						
		5						4	
				8					3

								9
		8			1			
				7		8	4	6
					5	3		
6				9				7
		2	8					
4	9	5		6				
			2			5		
3								

★★★★★

3		5			4	9		
		9				5		
2			6				7	
1				7	3			
		6				2		
			9	2				4
	1				5			9
		8				3		
		4	8			1		6

1			5					
	8							7
				3				2
	6						1	
		4		7		8		
	3						5	
2				4				
5							9	
					8			6

★★★★★

	9			1				
5	1		3					
	3	8			4			
			5	8		7		3
		5				6		
4		3		9	2			
			6			4	1	
					1		8	2
				7			9	

	6	8						
								7
2				5			1	
7		2			8			
1								9
			4			6		5
	9			7				3
3								
						4	6	

★★★★★

	7		6			3		
8		3						5
			4		3			1
9								
4			9	6	1			3
								2
1			5		8			
3						7		4
		2			4		5	

★★★★★

3		6		2				
		8						
	2			9	4		7	
	4				7			
		2		8		5		
			1				9	
	1		3	6			5	
						6		
				5		2		8

				2		7		
	5	7	3		8			
								6
							5	
7				6				1
	4							
9								
			4		5	3	8	
		2		1				

★★★★★

4	2	6		5				
7								
					9		2	
	3				1			
5				7				4
			2				8	
	1		8					
								3
				4		7	1	6

★★★★★

		1						2
				1			7	6
	7	3			9			
		2	3					
4	8			7			3	1
					8	9		
			5			8	1	
1	6			4				
7						6		

★★★★★

		4						
1					3			2
	5	6		1				
			2					7
5		1		4		6		3
9					8			
				6		5	4	
8			7					6
						9		

	4	5		8				
	1			3				8
					7	4		6
			3					9
	8			1			2	
7					6			
3		8	5					
1				6			4	
				2		1	8	

★★★★★

					7		9	3
	4							
	2	9		1			7	
			8					5
	1			4			6	
7					3			
	9			6		4	1	
							2	
8	7		9					

★★★★★

				4				8
	3							2
7			1					
	9						7	
		5		2		3		
	4						1	
					3			9
1							6	
8				5				

★★★★★

6	3		8		2			
						5		
				9				7
	8							
		9		1		4		
							2	
4				7				
		1						
			3		6		8	4

★★★★★

		9						
					4			8
	3	5		6				
1			6		2			
		6		9		5		
			8		5			7
				5		3	9	
2			7					
						1		

								4
	8		6					
4	6			7		2		5
	4				8			
9				2				7
			1				6	
7		5		9			4	6
					3		1	
2								

★★★★★

7				3	8			
8	9	5						
	3				4			
	8		3					2
		9	7		5	1		
4					6		9	
			8				6	
						5	7	9
			1	2				4

		1						2
	4			9	5	7		
					2			6
			8					
		5				4		
					6			
8			3					
		3	4	1			7	
2						9		

★★★★★

		9		1			4	
7				4				1
		4			7			5
	7		9				2	
			7		8			
	3				5		6	
9			1			5		
3				9				2
	6			5		4		

						6		
		4		2			1	
3	7							
					8	2		7
		1				9		
4		6	3					
							7	8
	9			6		5		
		5						

★★★★★

			5			3		
			6	3				4
						1	8	6
		1	7					5
	2		8		4		1	
9					3	6		
1	8	4						
5				9	2			
		7			6			

1

8	6	5	7	4	1	2	3	9
3	9	1	5	2	8	6	7	4
2	4	7	3	9	6	1	5	8
6	5	2	8	1	4	3	9	7
4	1	3	9	6	7	8	2	5
7	8	9	2	3	5	4	1	6
9	7	6	1	8	2	5	4	3
5	2	8	4	7	3	9	6	1
1	3	4	6	5	9	7	8	2

2

1	5	2	8	6	3	7	4	9
8	9	4	7	5	2	6	1	3
3	7	6	4	1	9	5	2	8
4	6	9	5	2	7	3	8	1
5	2	3	1	8	6	9	7	4
7	8	1	3	9	4	2	6	5
9	4	8	6	7	5	1	3	2
2	3	7	9	4	1	8	5	6
6	1	5	2	3	8	4	9	7

3

8	7	3	6	5	2	9	1	4
5	1	9	3	7	4	6	2	8
2	4	6	9	1	8	5	3	7
4	8	5	1	3	7	2	6	9
1	9	2	4	8	6	7	5	3
3	6	7	2	9	5	4	8	1
9	2	4	8	6	1	3	7	5
7	3	8	5	2	9	1	4	6
6	5	1	7	4	3	8	9	2

4

7	4	6	2	9	3	8	5	1
9	8	1	5	6	4	2	3	7
3	5	2	8	1	7	6	4	9
6	3	8	4	7	2	1	9	5
2	9	4	3	5	1	7	8	6
1	7	5	6	8	9	4	2	3
4	1	7	9	3	8	5	6	2
8	6	3	1	2	5	9	7	4
5	2	9	7	4	6	3	1	8

5

1	4	8	5	6	9	3	7	2
7	9	6	3	2	4	5	8	1
3	5	2	1	8	7	4	6	9
8	7	9	4	3	6	2	1	5
4	6	5	2	7	1	8	9	3
2	3	1	9	5	8	6	4	7
6	8	3	7	1	2	9	5	4
5	1	4	8	9	3	7	2	6
9	2	7	6	4	5	1	3	8

6

2	1	7	6	4	3	8	9	5
9	4	5	2	8	7	3	1	6
8	3	6	9	1	5	7	2	4
7	8	2	5	9	6	1	4	3
1	6	9	7	3	4	2	5	8
4	5	3	1	2	8	6	7	9
5	7	4	8	6	2	9	3	1
6	2	1	3	5	9	4	8	7
3	9	8	4	7	1	5	6	2

7

1	5	6	9	8	7	4	2	3
9	2	7	3	4	6	5	8	1
3	4	8	2	5	1	9	6	7
4	6	2	1	3	9	8	7	5
5	8	3	4	7	2	1	9	6
7	1	9	8	6	5	2	3	4
2	7	1	6	9	4	3	5	8
8	9	5	7	1	3	6	4	2
6	3	4	5	2	8	7	1	9

8

6	9	1	3	2	4	8	7	5
3	7	2	1	8	5	6	9	4
8	5	4	6	9	7	2	3	1
7	4	9	5	6	8	3	1	2
1	8	5	2	4	3	7	6	9
2	6	3	7	1	9	5	4	8
9	3	7	4	5	2	1	8	6
5	1	8	9	3	6	4	2	7
4	2	6	8	7	1	9	5	3

9

4	3	1	7	6	8	9	5	2
7	5	6	2	9	4	3	1	8
9	2	8	1	5	3	7	4	6
3	1	2	9	4	5	6	8	7
6	4	7	3	8	2	5	9	1
5	8	9	6	7	1	4	2	3
2	9	5	8	3	6	1	7	4
1	7	3	4	2	9	8	6	5
8	6	4	5	1	7	2	3	9

10

1	6	9	5	8	4	2	7	3
4	5	3	2	7	9	8	1	6
7	8	2	3	6	1	4	9	5
3	7	1	8	4	6	9	5	2
6	9	4	7	5	2	1	3	8
8	2	5	9	1	3	6	4	7
5	3	6	4	9	8	7	2	1
9	1	7	6	2	5	3	8	4
2	4	8	1	3	7	5	6	9

11

3	9	2	8	4	1	7	5	6
8	1	6	7	3	5	4	2	9
7	4	5	2	6	9	8	1	3
6	3	9	5	7	2	1	8	4
5	8	4	1	9	6	3	7	2
1	2	7	3	8	4	6	9	5
2	5	8	6	1	3	9	4	7
9	7	3	4	2	8	5	6	1
4	6	1	9	5	7	2	3	8

12

5	6	2	8	1	7	9	4	3
9	7	3	4	5	6	2	1	8
4	1	8	9	3	2	5	6	7
8	5	4	3	7	1	6	9	2
7	2	9	6	8	5	4	3	1
6	3	1	2	9	4	7	8	5
3	4	6	5	2	8	1	7	9
1	9	5	7	6	3	8	2	4
2	8	7	1	4	9	3	5	6

13

8	4	1	5	7	6	9	3	2
5	2	6	4	3	9	8	1	7
3	9	7	1	2	8	6	4	5
7	6	8	2	9	1	3	5	4
9	3	4	6	5	7	2	8	1
2	1	5	3	8	4	7	9	6
4	5	2	8	6	3	1	7	9
1	7	3	9	4	2	5	6	8
6	8	9	7	1	5	4	2	3

14

8	5	7	3	9	1	6	4	2
6	4	3	2	5	8	1	7	9
1	9	2	4	6	7	5	3	8
5	6	1	9	7	4	2	8	3
7	2	4	8	3	6	9	1	5
9	3	8	5	1	2	7	6	4
3	8	6	7	2	5	4	9	1
2	1	9	6	4	3	8	5	7
4	7	5	1	8	9	3	2	6

15

2	4	7	6	8	5	1	9	3
1	8	5	4	3	9	6	7	2
6	9	3	2	7	1	4	5	8
9	6	4	8	1	2	5	3	7
5	3	8	9	6	7	2	1	4
7	2	1	3	5	4	9	8	6
8	5	2	1	4	3	7	6	9
3	1	9	7	2	6	8	4	5
4	7	6	5	9	8	3	2	1

16

1	9	7	4	5	3	8	2	6
3	6	5	8	2	7	9	1	4
8	2	4	1	9	6	5	7	3
6	5	8	3	7	4	1	9	2
2	3	1	5	6	9	7	4	8
7	4	9	2	1	8	3	6	5
5	1	3	7	4	2	6	8	9
9	7	2	6	8	5	4	3	1
4	8	6	9	3	1	2	5	7

17

3	4	6	7	2	1	9	8	5
9	1	8	3	6	5	7	2	4
2	5	7	4	9	8	6	3	1
1	8	9	2	7	6	4	5	3
5	3	2	1	4	9	8	7	6
7	6	4	5	8	3	2	1	9
6	2	1	8	3	4	5	9	7
8	9	3	6	5	7	1	4	2
4	7	5	9	1	2	3	6	8

18

6	5	3	9	8	1	4	2	7
7	9	8	2	6	4	5	1	3
2	1	4	7	3	5	8	9	6
3	7	1	6	5	8	9	4	2
4	6	9	3	1	2	7	5	8
8	2	5	4	7	9	3	6	1
9	3	7	5	2	6	1	8	4
1	4	6	8	9	7	2	3	5
5	8	2	1	4	3	6	7	9

19

5	4	1	2	8	7	6	9	3
6	9	8	4	3	1	2	5	7
2	7	3	5	6	9	1	8	4
3	8	9	6	7	5	4	2	1
4	6	7	9	1	2	8	3	5
1	2	5	8	4	3	7	6	9
8	5	2	1	9	4	3	7	6
7	1	6	3	5	8	9	4	2
9	3	4	7	2	6	5	1	8

20

1	9	6	7	4	8	3	5	2
2	7	5	9	1	3	6	8	4
4	8	3	2	6	5	1	7	9
7	3	1	4	9	6	5	2	8
8	6	2	5	7	1	4	9	3
9	5	4	8	3	2	7	6	1
6	2	7	3	8	4	9	1	5
3	1	8	6	5	9	2	4	7
5	4	9	1	2	7	8	3	6

21

4	1	6	9	5	7	8	3	2
5	7	8	2	3	4	1	6	9
2	9	3	8	1	6	7	4	5
6	8	2	5	9	1	4	7	3
1	5	4	3	7	2	6	9	8
7	3	9	4	6	8	5	2	1
9	6	5	7	8	3	2	1	4
8	4	7	1	2	9	3	5	6
3	2	1	6	4	5	9	8	7

22

1	6	8	9	7	5	3	2	4
3	5	7	4	8	2	1	6	9
2	4	9	6	3	1	5	7	8
9	3	2	1	5	8	6	4	7
5	7	6	2	9	4	8	3	1
4	8	1	7	6	3	2	9	5
7	9	3	8	1	6	4	5	2
6	1	4	5	2	7	9	8	3
8	2	5	3	4	9	7	1	6

23

8	3	6	2	5	1	7	4	9
5	7	9	3	4	6	8	1	2
1	2	4	7	8	9	3	5	6
4	1	8	9	3	5	2	6	7
9	6	7	8	1	2	4	3	5
3	5	2	6	7	4	1	9	8
2	4	5	1	9	7	6	8	3
6	8	1	5	2	3	9	7	4
7	9	3	4	6	8	5	2	1

24

6	3	1	4	7	8	9	2	5
2	4	7	6	9	5	1	8	3
8	5	9	2	1	3	7	4	6
1	7	8	5	3	2	6	9	4
3	2	4	9	8	6	5	1	7
9	6	5	1	4	7	8	3	2
5	8	3	7	2	1	4	6	9
4	1	6	3	5	9	2	7	8
7	9	2	8	6	4	3	5	1

25

6	3	5	1	4	8	2	7	9
7	2	1	5	6	9	4	3	8
4	8	9	7	3	2	5	1	6
9	6	3	2	5	1	8	4	7
1	5	8	3	7	4	6	9	2
2	4	7	9	8	6	1	5	3
5	9	6	8	1	7	3	2	4
3	7	4	6	2	5	9	8	1
8	1	2	4	9	3	7	6	5

26

2	9	7	4	5	1	3	6	8
3	6	4	8	9	2	1	7	5
1	5	8	6	3	7	9	4	2
5	4	2	9	1	8	7	3	6
7	8	6	2	4	3	5	1	9
9	3	1	5	7	6	8	2	4
4	2	3	7	8	9	6	5	1
8	1	5	3	6	4	2	9	7
6	7	9	1	2	5	4	8	3

27

6	9	2	5	4	7	8	3	1
3	5	7	8	6	1	4	2	9
8	4	1	9	2	3	7	6	5
2	7	3	6	1	9	5	8	4
4	1	8	7	5	2	3	9	6
9	6	5	4	3	8	1	7	2
7	2	6	1	8	4	9	5	3
1	3	9	2	7	5	6	4	8
5	8	4	3	9	6	2	1	7

28

4	8	5	2	6	1	9	7	3
2	1	3	8	9	7	4	6	5
6	7	9	3	5	4	2	8	1
9	5	4	7	1	2	6	3	8
3	2	1	6	8	9	7	5	4
8	6	7	5	4	3	1	2	9
5	9	8	1	2	6	3	4	7
1	3	2	4	7	8	5	9	6
7	4	6	9	3	5	8	1	2

29

1	9	7	3	8	2	4	6	5
6	8	2	5	4	1	7	3	9
3	5	4	7	9	6	8	1	2
2	6	8	9	7	4	3	5	1
5	1	9	6	3	8	2	4	7
4	7	3	1	2	5	9	8	6
7	3	1	8	6	9	5	2	4
8	2	5	4	1	7	6	9	3
9	4	6	2	5	3	1	7	8

30

1	9	6	2	3	7	8	5	4
2	4	8	6	9	5	3	1	7
5	7	3	1	4	8	9	2	6
3	8	5	7	6	2	4	9	1
7	2	4	9	5	1	6	3	8
6	1	9	3	8	4	5	7	2
8	5	2	4	1	9	7	6	3
4	3	1	5	7	6	2	8	9
9	6	7	8	2	3	1	4	5

31

8	4	5	6	9	2	3	7	1
1	9	3	8	5	7	6	2	4
2	7	6	4	1	3	9	8	5
9	2	7	1	8	6	5	4	3
5	6	8	7	3	4	2	1	9
4	3	1	9	2	5	8	6	7
3	5	4	2	6	1	7	9	8
7	8	2	5	4	9	1	3	6
6	1	9	3	7	8	4	5	2

32

8	6	1	5	7	9	4	3	2
5	2	9	1	3	4	6	7	8
7	3	4	2	6	8	9	5	1
6	8	2	4	5	3	7	1	9
9	1	7	8	2	6	5	4	3
3	4	5	7	9	1	2	8	6
4	7	8	9	1	2	3	6	5
1	9	6	3	4	5	8	2	7
2	5	3	6	8	7	1	9	4

33

8	9	4	7	5	2	1	6	3
5	1	7	9	3	6	4	8	2
6	2	3	8	1	4	7	9	5
2	7	5	3	8	1	6	4	9
3	4	6	2	7	9	8	5	1
1	8	9	4	6	5	3	2	7
4	5	1	6	9	7	2	3	8
9	6	8	1	2	3	5	7	4
7	3	2	5	4	8	9	1	6

34

4	2	5	1	9	7	6	3	8
8	1	3	5	2	6	7	9	4
7	6	9	3	8	4	1	2	5
3	5	2	4	1	8	9	7	6
9	7	1	2	6	5	8	4	3
6	8	4	7	3	9	2	5	1
5	4	8	6	7	2	3	1	9
2	3	6	9	4	1	5	8	7
1	9	7	8	5	3	4	6	2

35

7	5	8	1	9	6	2	4	3
2	1	6	3	7	4	8	5	9
9	3	4	8	5	2	6	7	1
3	6	9	7	4	1	5	2	8
8	4	7	5	2	3	9	1	6
5	2	1	9	6	8	7	3	4
1	9	3	2	8	5	4	6	7
6	8	5	4	3	7	1	9	2
4	7	2	6	1	9	3	8	5

36

5	2	9	3	1	4	8	6	7
3	7	4	6	8	2	9	1	5
8	6	1	5	9	7	2	4	3
2	8	6	7	3	1	5	9	4
4	9	5	8	2	6	7	3	1
1	3	7	9	4	5	6	8	2
6	1	2	4	5	9	3	7	8
9	4	8	2	7	3	1	5	6
7	5	3	1	6	8	4	2	9

37

2	1	4	5	6	3	8	7	9
6	9	5	8	7	2	1	3	4
7	8	3	1	4	9	2	5	6
8	7	9	2	5	4	3	6	1
3	2	6	9	1	7	4	8	5
5	4	1	6	3	8	7	9	2
1	6	2	3	8	5	9	4	7
4	5	8	7	9	1	6	2	3
9	3	7	4	2	6	5	1	8

38

2	9	6	3	5	1	4	8	7
8	1	7	6	2	4	5	3	9
4	3	5	8	9	7	2	1	6
1	4	9	7	8	3	6	2	5
6	2	3	5	1	9	8	7	4
5	7	8	4	6	2	3	9	1
7	8	1	2	4	5	9	6	3
3	6	4	9	7	8	1	5	2
9	5	2	1	3	6	7	4	8

39

1	8	6	5	4	2	9	3	7
9	7	5	1	6	3	2	8	4
4	2	3	7	8	9	6	5	1
8	4	7	2	1	5	3	6	9
3	9	2	6	7	4	8	1	5
6	5	1	3	9	8	7	4	2
7	3	4	8	2	1	5	9	6
5	6	9	4	3	7	1	2	8
2	1	8	9	5	6	4	7	3

40

4	5	8	7	3	6	1	2	9
7	6	2	9	1	4	5	3	8
9	3	1	8	2	5	6	7	4
6	1	4	2	5	9	3	8	7
8	2	9	1	7	3	4	6	5
5	7	3	6	4	8	9	1	2
2	4	7	5	6	1	8	9	3
1	9	5	3	8	2	7	4	6
3	8	6	4	9	7	2	5	1

41

1	2	9	4	7	5	3	8	6
8	3	5	1	6	9	4	7	2
6	7	4	8	2	3	9	1	5
3	8	2	6	9	4	1	5	7
9	1	6	7	5	8	2	3	4
4	5	7	2	3	1	6	9	8
5	6	1	3	8	2	7	4	9
7	4	8	9	1	6	5	2	3
2	9	3	5	4	7	8	6	1

42

2	4	8	3	7	9	6	5	1
7	6	3	5	2	1	9	4	8
9	5	1	6	4	8	3	7	2
5	1	2	8	3	7	4	9	6
3	8	7	4	9	6	2	1	5
6	9	4	2	1	5	7	8	3
4	7	6	1	8	3	5	2	9
1	3	9	7	5	2	8	6	4
8	2	5	9	6	4	1	3	7

43

9	8	7	6	2	4	5	1	3
5	3	6	7	8	1	2	4	9
4	2	1	3	9	5	7	8	6
2	5	3	1	4	8	6	9	7
7	6	4	9	3	2	8	5	1
8	1	9	5	7	6	4	3	2
1	7	8	4	6	3	9	2	5
3	9	2	8	5	7	1	6	4
6	4	5	2	1	9	3	7	8

44

5	3	4	7	2	8	6	1	9
6	7	9	1	4	3	2	8	5
8	2	1	6	5	9	3	4	7
9	6	8	5	7	2	4	3	1
7	4	3	8	1	6	5	9	2
1	5	2	9	3	4	7	6	8
2	8	5	4	6	1	9	7	3
4	1	7	3	9	5	8	2	6
3	9	6	2	8	7	1	5	4

45

6	3	7	9	4	2	1	8	5
4	8	5	6	1	7	9	2	3
2	1	9	8	5	3	4	6	7
8	5	6	4	2	1	3	7	9
3	4	1	7	9	8	6	5	2
9	7	2	3	6	5	8	1	4
5	6	4	2	8	9	7	3	1
1	9	3	5	7	6	2	4	8
7	2	8	1	3	4	5	9	6

46

9	4	3	6	2	7	1	5	8
8	6	7	5	9	1	2	3	4
1	2	5	4	8	3	7	9	6
2	7	6	3	4	5	8	1	9
5	8	4	7	1	9	6	2	3
3	9	1	8	6	2	5	4	7
7	3	9	2	5	6	4	8	1
4	1	2	9	7	8	3	6	5
6	5	8	1	3	4	9	7	2

47

3	6	4	2	1	7	5	8	9
8	9	7	5	6	3	1	4	2
5	1	2	4	9	8	6	7	3
9	3	8	6	7	2	4	1	5
4	7	1	3	5	9	2	6	8
6	2	5	1	8	4	3	9	7
7	4	3	8	2	6	9	5	1
1	8	6	9	3	5	7	2	4
2	5	9	7	4	1	8	3	6

48

2	6	9	3	8	5	1	7	4
1	5	8	4	7	2	6	3	9
4	7	3	1	6	9	8	2	5
8	9	6	2	3	4	7	5	1
5	3	2	6	1	7	4	9	8
7	4	1	5	9	8	2	6	3
6	1	5	8	2	3	9	4	7
3	8	7	9	4	6	5	1	2
9	2	4	7	5	1	3	8	6

49

2	7	3	4	8	6	5	1	9
1	6	5	3	9	7	8	2	4
8	4	9	5	1	2	7	6	3
7	3	8	2	4	5	6	9	1
5	2	1	9	6	8	4	3	7
4	9	6	1	7	3	2	5	8
9	1	7	6	2	4	3	8	5
3	8	2	7	5	9	1	4	6
6	5	4	8	3	1	9	7	2

50

3	2	8	5	1	7	4	9	6
9	7	4	8	6	2	1	3	5
1	5	6	4	9	3	2	7	8
5	6	7	9	2	8	3	4	1
4	3	9	6	7	1	5	8	2
2	8	1	3	5	4	7	6	9
6	9	2	7	3	5	8	1	4
8	1	3	2	4	6	9	5	7
7	4	5	1	8	9	6	2	3

51

9	8	7	5	6	4	3	1	2
3	2	6	8	9	1	4	7	5
1	4	5	7	2	3	6	8	9
6	7	8	1	3	9	2	5	4
4	9	1	6	5	2	8	3	7
5	3	2	4	8	7	9	6	1
8	5	9	2	1	6	7	4	3
7	1	3	9	4	8	5	2	6
2	6	4	3	7	5	1	9	8

52

7	8	3	1	6	5	2	9	4
5	2	1	8	9	4	6	7	3
6	4	9	7	2	3	1	8	5
3	5	6	2	4	7	8	1	9
8	9	4	5	1	6	7	3	2
1	7	2	9	3	8	5	4	6
2	1	8	3	5	9	4	6	7
9	6	7	4	8	2	3	5	1
4	3	5	6	7	1	9	2	8

53

7	1	6	3	4	8	9	5	2
3	5	9	2	7	1	4	6	8
4	8	2	5	9	6	1	3	7
9	3	1	6	2	5	8	7	4
5	7	8	4	3	9	2	1	6
6	2	4	1	8	7	5	9	3
1	6	3	8	5	4	7	2	9
2	4	7	9	1	3	6	8	5
8	9	5	7	6	2	3	4	1

54

8	3	6	2	5	9	1	7	4
7	2	1	6	4	8	9	3	5
5	4	9	1	3	7	2	8	6
1	8	3	7	6	4	5	9	2
6	9	4	8	2	5	3	1	7
2	5	7	9	1	3	4	6	8
4	6	2	3	7	1	8	5	9
9	1	5	4	8	6	7	2	3
3	7	8	5	9	2	6	4	1

55

7	3	9	2	4	5	6	8	1
2	8	1	9	6	3	7	5	4
6	5	4	8	1	7	3	9	2
3	4	6	5	8	9	2	1	7
9	7	5	1	3	2	8	4	6
8	1	2	6	7	4	9	3	5
1	2	7	3	5	8	4	6	9
5	9	3	4	2	6	1	7	8
4	6	8	7	9	1	5	2	3

56

6	9	3	5	2	8	4	1	7
8	1	7	4	3	6	9	5	2
4	2	5	1	7	9	8	3	6
1	8	9	6	4	2	5	7	3
5	7	2	3	8	1	6	4	9
3	6	4	9	5	7	1	2	8
7	4	1	8	6	3	2	9	5
2	5	6	7	9	4	3	8	1
9	3	8	2	1	5	7	6	4

57

6	1	8	3	7	2	9	5	4
9	2	3	1	4	5	8	6	7
5	7	4	8	9	6	2	3	1
7	5	6	2	1	9	3	4	8
3	9	2	4	6	8	1	7	5
8	4	1	5	3	7	6	9	2
2	6	9	7	5	1	4	8	3
4	8	7	9	2	3	5	1	6
1	3	5	6	8	4	7	2	9

58

8	9	1	3	2	7	4	5	6
6	2	4	1	9	5	3	7	8
7	5	3	8	4	6	9	2	1
2	8	9	6	5	3	1	4	7
1	4	5	7	8	9	6	3	2
3	7	6	4	1	2	8	9	5
5	6	2	9	3	8	7	1	4
4	3	8	2	7	1	5	6	9
9	1	7	5	6	4	2	8	3

59

5	6	9	7	3	1	8	2	4
1	7	4	2	8	6	3	9	5
8	3	2	9	4	5	6	1	7
6	8	5	3	1	2	7	4	9
7	4	1	5	9	8	2	3	6
9	2	3	4	6	7	5	8	1
4	9	7	6	2	3	1	5	8
3	5	8	1	7	4	9	6	2
2	1	6	8	5	9	4	7	3

60

5	9	1	6	4	3	7	2	8
2	6	8	7	9	5	4	1	3
7	4	3	1	2	8	5	9	6
8	5	2	3	7	9	1	6	4
9	7	6	4	8	1	3	5	2
1	3	4	2	5	6	9	8	7
6	8	9	5	3	7	2	4	1
4	1	7	9	6	2	8	3	5
3	2	5	8	1	4	6	7	9

61

9	6	4	3	8	1	5	7	2
2	8	3	6	7	5	1	4	9
5	1	7	4	9	2	6	8	3
1	9	2	5	4	7	8	3	6
7	5	6	8	1	3	9	2	4
4	3	8	2	6	9	7	5	1
3	2	9	1	5	8	4	6	7
6	7	5	9	3	4	2	1	8
8	4	1	7	2	6	3	9	5

62

7	2	4	8	3	5	9	1	6
9	1	8	7	2	6	4	3	5
5	6	3	9	4	1	7	2	8
2	8	6	1	9	4	5	7	3
3	7	5	6	8	2	1	9	4
4	9	1	3	5	7	6	8	2
8	5	9	4	1	3	2	6	7
6	3	2	5	7	9	8	4	1
1	4	7	2	6	8	3	5	9

63

5	4	6	9	8	3	2	1	7
9	1	8	7	6	2	3	4	5
7	2	3	1	5	4	6	9	8
8	6	1	4	3	7	5	2	9
3	9	5	2	1	8	7	6	4
4	7	2	5	9	6	8	3	1
6	3	4	8	7	1	9	5	2
2	8	9	3	4	5	1	7	6
1	5	7	6	2	9	4	8	3

64

5	4	3	8	1	6	2	9	7
7	1	6	5	2	9	3	8	4
2	8	9	4	3	7	6	1	5
4	9	5	7	6	8	1	3	2
8	3	2	1	9	5	7	4	6
1	6	7	3	4	2	9	5	8
3	7	4	2	8	1	5	6	9
6	5	8	9	7	3	4	2	1
9	2	1	6	5	4	8	7	3

65

6	7	2	5	4	8	3	1	9
3	1	8	2	9	7	5	6	4
5	4	9	3	6	1	7	2	8
1	8	4	9	7	5	6	3	2
7	2	6	1	3	4	9	8	5
9	3	5	6	8	2	4	7	1
2	6	3	8	5	9	1	4	7
8	5	7	4	1	3	2	9	6
4	9	1	7	2	6	8	5	3

66

5	6	3	8	4	7	2	9	1
8	2	7	1	9	5	3	4	6
4	1	9	6	2	3	8	5	7
1	4	6	2	5	8	7	3	9
2	7	8	3	6	9	5	1	4
9	3	5	4	7	1	6	8	2
6	8	2	5	1	4	9	7	3
3	9	4	7	8	2	1	6	5
7	5	1	9	3	6	4	2	8

67

8	4	9	6	1	2	5	3	7
2	5	7	3	9	4	8	6	1
1	3	6	5	7	8	9	2	4
6	7	3	9	4	5	1	8	2
5	1	2	8	3	6	7	4	9
4	9	8	1	2	7	6	5	3
9	6	4	2	8	1	3	7	5
7	8	1	4	5	3	2	9	6
3	2	5	7	6	9	4	1	8

68

1	7	8	2	9	3	4	6	5
9	5	4	6	1	7	2	3	8
6	2	3	4	8	5	1	9	7
3	8	5	7	2	9	6	1	4
7	9	6	1	5	4	3	8	2
4	1	2	3	6	8	5	7	9
2	4	1	9	7	6	8	5	3
5	6	7	8	3	2	9	4	1
8	3	9	5	4	1	7	2	6

69

8	7	9	6	1	3	5	2	4
4	1	6	7	5	2	8	3	9
5	2	3	8	9	4	7	1	6
2	8	4	9	3	1	6	5	7
7	9	1	2	6	5	3	4	8
3	6	5	4	8	7	2	9	1
1	3	8	5	4	6	9	7	2
6	4	7	3	2	9	1	8	5
9	5	2	1	7	8	4	6	3

70

6	3	8	7	1	4	5	9	2
5	2	7	3	9	6	8	4	1
1	4	9	5	2	8	6	3	7
7	1	4	9	6	2	3	5	8
2	5	3	8	4	7	1	6	9
9	8	6	1	5	3	7	2	4
8	6	5	2	7	9	4	1	3
3	9	1	4	8	5	2	7	6
4	7	2	6	3	1	9	8	5

71

9	4	2	7	3	8	1	6	5
1	8	6	2	5	9	7	3	4
5	7	3	1	4	6	8	2	9
7	3	4	9	1	2	5	8	6
2	9	8	6	7	5	3	4	1
6	1	5	3	8	4	9	7	2
8	6	9	5	2	3	4	1	7
3	2	1	4	9	7	6	5	8
4	5	7	8	6	1	2	9	3

72

3	7	2	5	4	9	8	6	1
8	9	1	2	7	6	4	5	3
5	4	6	1	8	3	7	2	9
1	6	7	8	3	2	9	4	5
9	5	8	7	1	4	2	3	6
4	2	3	6	9	5	1	8	7
6	8	9	3	2	1	5	7	4
2	3	4	9	5	7	6	1	8
7	1	5	4	6	8	3	9	2

73

2	5	9	7	1	8	3	6	4
6	1	8	5	3	4	9	2	7
4	3	7	2	6	9	8	1	5
3	4	5	8	2	1	6	7	9
9	7	6	4	5	3	2	8	1
1	8	2	6	9	7	5	4	3
5	2	1	3	4	6	7	9	8
8	6	4	9	7	5	1	3	2
7	9	3	1	8	2	4	5	6

74

9	8	4	1	3	2	7	5	6
6	1	5	8	7	9	4	3	2
2	7	3	6	5	4	1	9	8
8	9	6	5	1	7	2	4	3
5	2	7	4	8	3	9	6	1
3	4	1	9	2	6	8	7	5
4	6	8	3	9	1	5	2	7
1	3	2	7	4	5	6	8	9
7	5	9	2	6	8	3	1	4

75

5	9	4	6	8	1	2	7	3
8	3	7	9	2	4	1	5	6
1	2	6	3	5	7	8	4	9
7	6	9	4	3	8	5	2	1
3	5	8	2	1	6	4	9	7
4	1	2	7	9	5	3	6	8
9	4	5	8	6	3	7	1	2
2	7	3	1	4	9	6	8	5
6	8	1	5	7	2	9	3	4

76

6	7	5	2	4	8	3	1	9
8	3	2	1	6	9	5	4	7
9	1	4	3	7	5	2	8	6
7	5	1	6	8	3	4	9	2
4	9	8	5	1	2	7	6	3
2	6	3	7	9	4	8	5	1
5	8	7	9	2	6	1	3	4
3	2	6	4	5	1	9	7	8
1	4	9	8	3	7	6	2	5

77

6	8	2	7	5	1	4	3	9
3	5	4	9	2	8	6	7	1
7	9	1	6	3	4	2	5	8
5	4	6	1	7	3	9	8	2
2	1	7	8	9	5	3	4	6
8	3	9	4	6	2	5	1	7
1	2	8	3	4	6	7	9	5
4	7	5	2	8	9	1	6	3
9	6	3	5	1	7	8	2	4

78

6	9	8	3	2	4	1	5	7
4	7	1	5	8	9	2	6	3
3	5	2	6	1	7	8	4	9
7	6	4	1	3	2	9	8	5
1	2	9	8	4	5	3	7	6
8	3	5	9	7	6	4	1	2
5	8	3	2	6	1	7	9	4
2	4	6	7	9	8	5	3	1
9	1	7	4	5	3	6	2	8

79

3	2	4	5	6	7	8	1	9
1	7	5	2	9	8	6	4	3
9	8	6	1	4	3	2	5	7
2	9	8	7	5	4	3	6	1
4	1	3	8	2	6	7	9	5
6	5	7	3	1	9	4	8	2
5	6	2	4	3	1	9	7	8
7	4	1	9	8	2	5	3	6
8	3	9	6	7	5	1	2	4

80

2	5	6	7	9	4	8	3	1
1	9	3	2	6	8	5	4	7
4	7	8	5	3	1	9	6	2
3	8	5	4	1	2	7	9	6
6	1	9	8	7	3	4	2	5
7	4	2	6	5	9	1	8	3
9	6	4	1	2	7	3	5	8
8	2	7	3	4	5	6	1	9
5	3	1	9	8	6	2	7	4

81

5	7	9	1	2	6	3	4	8
3	4	2	8	9	7	5	6	1
6	1	8	4	5	3	7	9	2
1	2	3	9	4	5	6	8	7
7	9	4	6	8	1	2	5	3
8	5	6	3	7	2	4	1	9
9	8	5	2	3	4	1	7	6
2	6	7	5	1	8	9	3	4
4	3	1	7	6	9	8	2	5

82

7	8	6	9	1	3	4	5	2
4	3	1	7	5	2	8	9	6
2	5	9	8	4	6	3	1	7
8	6	5	1	3	9	7	2	4
1	2	3	4	7	5	9	6	8
9	4	7	2	6	8	5	3	1
6	7	8	5	9	1	2	4	3
5	1	4	3	2	7	6	8	9
3	9	2	6	8	4	1	7	5

83

8	5	9	7	1	2	4	6	3
4	1	2	5	3	6	8	9	7
6	7	3	9	4	8	1	2	5
2	9	1	3	8	4	5	7	6
3	8	7	1	6	5	9	4	2
5	4	6	2	7	9	3	1	8
1	3	5	6	9	7	2	8	4
9	6	4	8	2	3	7	5	1
7	2	8	4	5	1	6	3	9

84

5	6	3	1	4	7	2	9	8
4	9	8	5	2	3	1	7	6
7	2	1	9	8	6	4	5	3
1	3	7	6	5	8	9	2	4
6	4	2	3	1	9	5	8	7
9	8	5	4	7	2	6	3	1
8	5	4	7	9	1	3	6	2
2	1	6	8	3	5	7	4	9
3	7	9	2	6	4	8	1	5

85

9	4	1	5	7	6	3	8	2
8	3	6	2	4	1	9	7	5
5	2	7	3	9	8	4	1	6
6	5	3	9	8	4	7	2	1
1	9	2	7	3	5	6	4	8
4	7	8	6	1	2	5	9	3
3	6	4	1	2	7	8	5	9
7	1	5	8	6	9	2	3	4
2	8	9	4	5	3	1	6	7

86

3	5	9	1	4	7	6	2	8
4	2	7	8	6	9	1	5	3
6	8	1	3	5	2	9	7	4
8	9	2	6	7	4	5	3	1
1	7	3	9	8	5	2	4	6
5	4	6	2	3	1	7	8	9
2	1	4	7	9	3	8	6	5
7	6	5	4	1	8	3	9	2
9	3	8	5	2	6	4	1	7

87

5	7	8	2	4	9	6	3	1
6	1	3	7	8	5	4	9	2
9	4	2	3	1	6	7	8	5
7	9	5	1	2	4	3	6	8
4	8	6	5	7	3	2	1	9
2	3	1	9	6	8	5	4	7
3	2	9	4	5	1	8	7	6
1	6	7	8	3	2	9	5	4
8	5	4	6	9	7	1	2	3

88

8	7	9	1	6	5	2	4	3
3	6	1	4	9	2	7	8	5
2	5	4	8	7	3	1	9	6
4	2	7	5	8	1	3	6	9
5	1	6	9	3	7	8	2	4
9	8	3	6	2	4	5	7	1
1	3	8	7	4	6	9	5	2
7	4	5	2	1	9	6	3	8
6	9	2	3	5	8	4	1	7

89

1	8	5	7	6	3	2	9	4
2	6	9	1	5	4	8	3	7
4	7	3	2	8	9	5	6	1
7	2	6	8	9	1	4	5	3
9	3	4	5	7	6	1	8	2
8	5	1	3	4	2	6	7	9
6	1	2	9	3	5	7	4	8
3	4	7	6	2	8	9	1	5
5	9	8	4	1	7	3	2	6

90

9	3	7	1	8	5	4	2	6
5	6	1	3	4	2	8	9	7
8	4	2	6	7	9	5	1	3
6	8	9	2	3	1	7	4	5
7	5	3	4	9	6	1	8	2
2	1	4	7	5	8	6	3	9
1	9	8	5	2	7	3	6	4
3	2	5	8	6	4	9	7	1
4	7	6	9	1	3	2	5	8

91

8	9	7	3	1	6	2	4	5
6	5	1	2	4	7	9	8	3
2	4	3	8	9	5	1	7	6
7	3	9	4	8	2	6	5	1
4	6	8	1	5	9	7	3	2
5	1	2	6	7	3	8	9	4
1	8	6	7	3	4	5	2	9
9	7	4	5	2	1	3	6	8
3	2	5	9	6	8	4	1	7

92

2	3	7	5	8	1	6	4	9
6	9	5	4	2	3	1	8	7
4	8	1	9	7	6	5	2	3
5	7	4	1	6	9	2	3	8
3	1	2	7	5	8	9	6	4
8	6	9	2	3	4	7	1	5
9	5	6	8	4	2	3	7	1
1	4	3	6	9	7	8	5	2
7	2	8	3	1	5	4	9	6

93

2	6	9	3	1	4	7	8	5
7	1	3	8	5	6	2	9	4
8	4	5	2	7	9	1	3	6
3	9	1	7	2	5	6	4	8
5	2	4	6	8	1	9	7	3
6	7	8	9	4	3	5	1	2
1	5	6	4	9	8	3	2	7
9	8	7	5	3	2	4	6	1
4	3	2	1	6	7	8	5	9

94

3	6	2	7	5	4	9	1	8
8	9	7	6	3	1	2	4	5
1	4	5	9	2	8	6	7	3
9	2	8	5	4	6	1	3	7
6	5	4	1	7	3	8	2	9
7	3	1	8	9	2	4	5	6
4	7	9	2	8	5	3	6	1
5	1	3	4	6	9	7	8	2
2	8	6	3	1	7	5	9	4

95

4	7	8	9	5	2	1	6	3
3	5	1	7	8	6	2	4	9
6	2	9	4	3	1	8	5	7
2	8	5	6	1	7	9	3	4
7	9	4	8	2	3	6	1	5
1	6	3	5	9	4	7	8	2
9	3	6	2	4	8	5	7	1
5	1	7	3	6	9	4	2	8
8	4	2	1	7	5	3	9	6

96

7	8	3	2	5	6	4	9	1
1	6	2	9	4	8	3	5	7
4	9	5	7	1	3	8	6	2
3	2	9	5	7	4	1	8	6
8	4	1	6	3	9	7	2	5
6	5	7	8	2	1	9	3	4
2	7	4	3	9	5	6	1	8
5	3	8	1	6	7	2	4	9
9	1	6	4	8	2	5	7	3

97

7	8	9	2	1	6	3	4	5
1	5	6	4	8	3	2	7	9
2	3	4	5	9	7	1	8	6
4	7	5	3	6	1	9	2	8
3	9	8	7	2	4	6	5	1
6	2	1	8	5	9	7	3	4
8	1	2	9	7	5	4	6	3
5	6	3	1	4	2	8	9	7
9	4	7	6	3	8	5	1	2

98

2	5	8	4	7	6	3	1	9
4	3	9	8	5	1	7	2	6
6	7	1	3	9	2	8	4	5
8	1	2	6	4	9	5	3	7
3	9	5	7	2	8	4	6	1
7	4	6	1	3	5	9	8	2
1	2	7	9	8	3	6	5	4
5	8	4	2	6	7	1	9	3
9	6	3	5	1	4	2	7	8

99

6	2	9	8	3	1	4	5	7
4	5	3	9	6	7	2	8	1
1	7	8	2	4	5	3	9	6
2	6	7	4	5	9	1	3	8
8	3	1	7	2	6	5	4	9
9	4	5	1	8	3	7	6	2
5	8	4	6	7	2	9	1	3
3	1	2	5	9	8	6	7	4
7	9	6	3	1	4	8	2	5

100

8	7	1	5	6	4	9	3	2
4	6	9	2	8	3	5	1	7
2	5	3	9	7	1	8	4	6
5	3	8	7	9	2	4	6	1
7	9	4	1	5	6	2	8	3
1	2	6	3	4	8	7	9	5
9	4	7	6	3	5	1	2	8
3	8	2	4	1	7	6	5	9
6	1	5	8	2	9	3	7	4

101

3	5	9	6	2	8	4	7	1
4	6	2	5	1	7	8	3	9
1	8	7	3	9	4	2	5	6
6	3	5	2	8	9	7	1	4
9	7	1	4	5	6	3	2	8
2	4	8	1	7	3	6	9	5
5	9	3	8	4	2	1	6	7
8	1	6	7	3	5	9	4	2
7	2	4	9	6	1	5	8	3

102

1	4	8	5	6	3	7	9	2
3	5	9	2	7	1	4	6	8
2	6	7	4	9	8	5	1	3
9	8	4	6	3	2	1	7	5
6	3	5	7	1	4	8	2	9
7	2	1	9	8	5	3	4	6
5	1	6	8	4	9	2	3	7
8	9	3	1	2	7	6	5	4
4	7	2	3	5	6	9	8	1

103

4	1	5	3	8	6	2	9	7
2	3	7	9	1	4	5	6	8
9	8	6	5	7	2	3	4	1
1	9	2	4	5	7	6	8	3
7	6	3	8	2	1	9	5	4
5	4	8	6	3	9	1	7	2
3	7	9	2	4	5	8	1	6
8	5	4	1	6	3	7	2	9
6	2	1	7	9	8	4	3	5

104

8	4	9	6	7	3	1	5	2
6	7	2	9	5	1	8	4	3
1	5	3	2	4	8	9	7	6
7	3	4	1	8	2	6	9	5
2	6	8	5	3	9	7	1	4
9	1	5	4	6	7	2	3	8
3	8	1	7	2	4	5	6	9
4	9	6	8	1	5	3	2	7
5	2	7	3	9	6	4	8	1

105

5	1	6	7	3	8	2	9	4
7	2	3	1	4	9	8	6	5
9	8	4	6	5	2	1	3	7
4	9	8	3	7	5	6	2	1
3	6	2	8	1	4	5	7	9
1	5	7	2	9	6	4	8	3
6	4	9	5	2	7	3	1	8
8	3	5	9	6	1	7	4	2
2	7	1	4	8	3	9	5	6

106

6	9	3	8	1	2	7	4	5
4	1	2	5	6	7	3	8	9
8	5	7	4	9	3	6	2	1
2	4	5	7	3	9	1	6	8
3	7	8	6	5	1	2	9	4
1	6	9	2	8	4	5	3	7
9	8	6	3	7	5	4	1	2
5	2	1	9	4	6	8	7	3
7	3	4	1	2	8	9	5	6

107

5	3	7	1	9	8	4	2	6
8	1	2	5	4	6	3	9	7
9	4	6	3	2	7	1	8	5
1	6	9	4	5	3	8	7	2
3	7	5	8	1	2	6	4	9
2	8	4	6	7	9	5	3	1
7	5	8	9	6	4	2	1	3
6	2	3	7	8	1	9	5	4
4	9	1	2	3	5	7	6	8

108

1	6	3	7	9	8	5	2	4
7	4	8	2	6	5	1	9	3
9	5	2	1	3	4	8	7	6
8	3	5	6	1	7	9	4	2
6	7	9	5	4	2	3	1	8
2	1	4	9	8	3	6	5	7
3	8	7	4	5	9	2	6	1
4	9	6	3	2	1	7	8	5
5	2	1	8	7	6	4	3	9

109

3	7	6	8	1	5	2	9	4
2	9	8	7	6	4	1	3	5
1	4	5	3	9	2	8	7	6
6	2	3	4	5	8	9	1	7
9	1	4	6	2	7	5	8	3
8	5	7	9	3	1	4	6	2
7	6	1	5	4	9	3	2	8
4	8	2	1	7	3	6	5	9
5	3	9	2	8	6	7	4	1

110

5	9	8	4	1	2	3	6	7
7	4	6	8	9	3	5	1	2
2	1	3	7	5	6	4	8	9
8	3	7	5	6	9	2	4	1
6	5	1	3	2	4	7	9	8
9	2	4	1	8	7	6	5	3
4	6	9	2	3	8	1	7	5
1	7	2	9	4	5	8	3	6
3	8	5	6	7	1	9	2	4

111

7	4	5	1	8	3	6	2	9
2	6	3	9	4	7	5	1	8
8	1	9	6	5	2	7	4	3
6	7	4	3	2	5	9	8	1
5	9	1	8	6	4	2	3	7
3	2	8	7	1	9	4	5	6
9	8	2	5	7	1	3	6	4
4	3	6	2	9	8	1	7	5
1	5	7	4	3	6	8	9	2

112

6	7	9	4	3	1	5	2	8
3	4	2	9	5	8	6	7	1
1	5	8	6	7	2	4	9	3
2	8	5	1	9	3	7	6	4
4	1	3	7	2	6	9	8	5
9	6	7	8	4	5	1	3	2
8	3	6	5	1	9	2	4	7
7	2	1	3	6	4	8	5	9
5	9	4	2	8	7	3	1	6

113

5	1	4	6	3	2	7	8	9
9	6	3	7	8	4	2	5	1
7	2	8	1	5	9	6	3	4
1	3	2	5	9	6	8	4	7
4	5	7	3	1	8	9	6	2
8	9	6	2	4	7	5	1	3
2	4	5	9	6	1	3	7	8
3	7	1	8	2	5	4	9	6
6	8	9	4	7	3	1	2	5

114

2	7	5	8	9	3	1	6	4
3	8	1	6	4	7	5	9	2
6	4	9	5	2	1	8	3	7
9	1	7	3	8	5	4	2	6
5	6	4	2	1	9	3	7	8
8	2	3	7	6	4	9	1	5
4	9	2	1	5	6	7	8	3
7	5	6	9	3	8	2	4	1
1	3	8	4	7	2	6	5	9

115

9	4	3	1	2	7	8	6	5
6	1	8	4	5	3	9	7	2
7	2	5	8	6	9	1	3	4
3	6	2	9	7	1	4	5	8
1	5	7	6	4	8	3	2	9
4	8	9	5	3	2	7	1	6
5	3	1	2	8	4	6	9	7
2	9	4	7	1	6	5	8	3
8	7	6	3	9	5	2	4	1

116

8	2	4	9	7	5	1	3	6
3	7	5	6	1	8	2	9	4
6	1	9	3	4	2	5	8	7
5	9	3	4	8	6	7	2	1
2	4	7	5	3	1	8	6	9
1	8	6	7	2	9	4	5	3
9	3	1	2	5	4	6	7	8
4	6	2	8	9	7	3	1	5
7	5	8	1	6	3	9	4	2

117

3	5	6	4	7	8	2	9	1
4	8	9	2	1	6	7	3	5
7	2	1	5	3	9	4	6	8
1	3	4	8	9	5	6	7	2
8	7	5	6	2	3	1	4	9
6	9	2	7	4	1	5	8	3
2	1	8	3	6	7	9	5	4
9	6	3	1	5	4	8	2	7
5	4	7	9	8	2	3	1	6

118

4	5	8	3	9	2	7	1	6
1	3	7	6	5	8	4	2	9
6	9	2	1	4	7	8	5	3
3	6	4	9	2	5	1	7	8
5	8	1	7	6	3	9	4	2
2	7	9	4	8	1	3	6	5
7	4	5	2	3	9	6	8	1
8	1	3	5	7	6	2	9	4
9	2	6	8	1	4	5	3	7

119

2	6	4	7	1	3	8	5	9
3	5	8	4	6	9	2	1	7
9	1	7	2	5	8	3	6	4
1	2	5	3	7	4	6	9	8
7	8	3	9	2	6	1	4	5
6	4	9	5	8	1	7	2	3
5	3	6	8	9	2	4	7	1
8	9	1	6	4	7	5	3	2
4	7	2	1	3	5	9	8	6

120

4	9	7	2	6	8	3	5	1
2	3	5	7	1	4	9	6	8
1	8	6	9	3	5	4	2	7
8	7	2	4	5	3	6	1	9
6	4	1	8	9	7	5	3	2
9	5	3	1	2	6	8	7	4
7	6	8	5	4	1	2	9	3
5	2	4	3	7	9	1	8	6
3	1	9	6	8	2	7	4	5

121

4	7	2	6	1	3	9	8	5
5	1	6	8	9	7	4	3	2
8	9	3	2	4	5	1	6	7
2	3	1	4	5	6	7	9	8
7	8	4	1	2	9	6	5	3
9	6	5	3	7	8	2	4	1
3	4	7	5	6	2	8	1	9
1	2	8	9	3	4	5	7	6
6	5	9	7	8	1	3	2	4

122

2	9	3	5	4	1	6	8	7
4	7	1	6	8	9	2	5	3
8	6	5	7	2	3	1	4	9
6	5	4	8	3	7	9	1	2
9	8	7	1	5	2	3	6	4
1	3	2	4	9	6	5	7	8
7	1	9	3	6	4	8	2	5
5	2	6	9	7	8	4	3	1
3	4	8	2	1	5	7	9	6

123

7	4	8	1	5	2	3	9	6
3	9	1	4	7	6	2	5	8
5	2	6	3	9	8	7	4	1
6	5	2	7	4	9	8	1	3
8	7	3	6	1	5	4	2	9
4	1	9	8	2	3	6	7	5
2	3	5	9	8	4	1	6	7
1	8	4	5	6	7	9	3	2
9	6	7	2	3	1	5	8	4

124

2	1	5	3	9	6	4	8	7
6	4	3	2	8	7	9	5	1
8	7	9	4	1	5	6	2	3
1	9	2	6	7	8	5	3	4
7	8	4	5	2	3	1	6	9
5	3	6	9	4	1	2	7	8
3	6	7	1	5	4	8	9	2
4	2	8	7	6	9	3	1	5
9	5	1	8	3	2	7	4	6

125

2	3	4	1	9	8	7	6	5
8	6	5	7	3	4	2	9	1
1	9	7	2	6	5	8	3	4
3	7	1	4	5	2	6	8	9
6	4	9	3	8	7	5	1	2
5	8	2	6	1	9	3	4	7
7	1	3	9	2	6	4	5	8
9	2	8	5	4	3	1	7	6
4	5	6	8	7	1	9	2	3

126

9	4	3	7	8	5	1	2	6
6	7	5	3	2	1	8	4	9
8	1	2	6	4	9	7	3	5
3	8	6	9	5	7	4	1	2
2	9	1	8	6	4	3	5	7
7	5	4	2	1	3	6	9	8
4	2	8	1	9	6	5	7	3
1	3	9	5	7	8	2	6	4
5	6	7	4	3	2	9	8	1

127

7	5	3	6	8	2	9	4	1
9	1	8	4	5	7	6	3	2
2	4	6	1	3	9	5	7	8
5	6	4	3	7	1	8	2	9
3	9	1	2	6	8	7	5	4
8	7	2	5	9	4	3	1	6
1	8	7	9	2	5	4	6	3
6	2	9	7	4	3	1	8	5
4	3	5	8	1	6	2	9	7

128

9	5	7	2	8	3	1	6	4
8	2	4	6	7	1	9	3	5
1	3	6	5	4	9	8	7	2
3	1	9	7	5	2	6	4	8
2	7	8	4	1	6	5	9	3
6	4	5	9	3	8	2	1	7
4	9	1	8	2	7	3	5	6
5	6	2	3	9	4	7	8	1
7	8	3	1	6	5	4	2	9

129

5	7	9	8	4	3	1	6	2
3	1	2	6	9	7	5	4	8
8	4	6	5	1	2	9	3	7
9	2	1	3	6	8	4	7	5
7	6	3	1	5	4	8	2	9
4	8	5	7	2	9	3	1	6
1	5	7	9	3	6	2	8	4
2	3	8	4	7	5	6	9	1
6	9	4	2	8	1	7	5	3

130

2	7	1	4	3	6	9	8	5
5	3	8	7	9	1	4	2	6
4	6	9	5	2	8	3	1	7
9	4	3	6	1	7	2	5	8
8	2	7	3	4	5	6	9	1
6	1	5	2	8	9	7	3	4
3	5	2	1	7	4	8	6	9
1	9	4	8	6	2	5	7	3
7	8	6	9	5	3	1	4	2

131

5	1	3	6	4	8	2	9	7
2	6	7	9	3	1	8	4	5
9	8	4	5	7	2	6	3	1
1	3	9	8	5	7	4	6	2
6	5	8	3	2	4	7	1	9
4	7	2	1	9	6	5	8	3
3	4	1	2	8	5	9	7	6
8	9	5	7	6	3	1	2	4
7	2	6	4	1	9	3	5	8

132

8	6	1	4	3	7	5	2	9
3	9	4	1	2	5	6	8	7
5	2	7	6	8	9	1	4	3
1	4	6	3	7	8	2	9	5
2	8	5	9	1	4	3	7	6
7	3	9	2	5	6	8	1	4
6	1	8	7	9	3	4	5	2
4	7	2	5	6	1	9	3	8
9	5	3	8	4	2	7	6	1

133

9	1	2	6	5	8	7	3	4
4	7	3	1	9	2	6	5	8
6	8	5	3	7	4	1	9	2
7	2	1	9	6	5	4	8	3
8	9	6	4	3	1	2	7	5
3	5	4	8	2	7	9	1	6
5	4	8	7	1	6	3	2	9
2	3	7	5	4	9	8	6	1
1	6	9	2	8	3	5	4	7

134

9	8	4	2	7	1	6	5	3
6	7	5	3	4	8	1	2	9
2	1	3	9	5	6	7	8	4
7	9	6	1	2	4	5	3	8
3	4	8	5	9	7	2	6	1
1	5	2	8	6	3	4	9	7
8	6	9	4	1	5	3	7	2
4	2	7	6	3	9	8	1	5
5	3	1	7	8	2	9	4	6

135

3	5	7	8	1	4	2	9	6
6	1	9	5	7	2	4	3	8
2	8	4	3	9	6	7	1	5
7	2	3	9	6	5	8	4	1
1	4	8	2	3	7	5	6	9
9	6	5	4	8	1	3	2	7
8	9	6	7	2	3	1	5	4
4	3	1	6	5	8	9	7	2
5	7	2	1	4	9	6	8	3

136

9	1	7	8	2	6	3	4	5
6	3	2	4	7	5	9	1	8
5	8	4	3	9	1	2	7	6
7	5	8	6	4	2	1	9	3
4	2	6	1	3	9	8	5	7
3	9	1	7	5	8	6	2	4
2	4	9	5	8	3	7	6	1
8	6	5	9	1	7	4	3	2
1	7	3	2	6	4	5	8	9

137

6	1	4	7	3	8	9	5	2
7	5	8	9	6	2	3	4	1
3	9	2	5	1	4	8	6	7
5	7	1	6	4	9	2	8	3
9	2	6	8	7	3	5	1	4
8	4	3	1	2	5	7	9	6
2	8	7	4	5	6	1	3	9
4	3	9	2	8	1	6	7	5
1	6	5	3	9	7	4	2	8

138

6	1	5	8	4	9	7	2	3
9	3	2	7	6	1	4	8	5
7	4	8	2	3	5	9	6	1
2	7	9	3	5	8	6	1	4
5	8	4	1	7	6	3	9	2
3	6	1	9	2	4	8	5	7
1	5	3	6	9	7	2	4	8
8	2	6	4	1	3	5	7	9
4	9	7	5	8	2	1	3	6

139

2	5	3	6	9	8	1	4	7
8	7	9	1	4	5	6	3	2
4	1	6	7	2	3	9	8	5
3	2	5	4	8	1	7	6	9
6	9	8	3	7	2	4	5	1
1	4	7	9	5	6	8	2	3
9	3	1	5	6	4	2	7	8
7	6	2	8	3	9	5	1	4
5	8	4	2	1	7	3	9	6

140

9	7	1	3	4	8	6	2	5
4	8	5	9	2	6	1	3	7
3	2	6	7	5	1	8	4	9
6	1	7	4	8	2	5	9	3
8	5	4	1	9	3	7	6	2
2	9	3	5	6	7	4	1	8
7	6	9	8	3	4	2	5	1
5	4	8	2	1	9	3	7	6
1	3	2	6	7	5	9	8	4

141

2	7	9	1	4	8	5	3	6
8	3	6	9	2	5	7	1	4
5	4	1	3	7	6	9	8	2
1	6	7	2	5	9	3	4	8
4	8	3	7	6	1	2	5	9
9	2	5	4	8	3	1	6	7
3	1	2	8	9	4	6	7	5
7	5	4	6	3	2	8	9	1
6	9	8	5	1	7	4	2	3

142

6	1	7	9	3	2	8	5	4
4	8	3	5	1	6	9	2	7
9	5	2	4	8	7	6	3	1
1	2	9	3	7	4	5	8	6
3	4	8	1	6	5	2	7	9
7	6	5	2	9	8	1	4	3
8	3	1	7	5	9	4	6	2
5	7	4	6	2	1	3	9	8
2	9	6	8	4	3	7	1	5

143

8	3	4	5	2	7	9	1	6
5	9	6	1	4	3	8	7	2
2	1	7	6	9	8	5	3	4
1	2	8	3	6	4	7	9	5
6	7	3	9	1	5	2	4	8
9	4	5	7	8	2	3	6	1
7	6	2	4	5	9	1	8	3
3	8	1	2	7	6	4	5	9
4	5	9	8	3	1	6	2	7

144

4	1	9	7	3	8	5	2	6
2	8	5	6	1	4	7	3	9
3	6	7	9	5	2	4	1	8
1	5	4	8	7	3	9	6	2
9	2	6	1	4	5	8	7	3
8	7	3	2	9	6	1	5	4
5	4	1	3	2	9	6	8	7
7	3	8	4	6	1	2	9	5
6	9	2	5	8	7	3	4	1

145

5	8	1	9	6	2	7	3	4
6	7	9	5	4	3	8	1	2
3	2	4	8	1	7	9	6	5
9	5	3	6	2	1	4	8	7
1	4	2	7	5	8	6	9	3
8	6	7	3	9	4	5	2	1
2	9	8	4	3	5	1	7	6
4	3	6	1	7	9	2	5	8
7	1	5	2	8	6	3	4	9

146

8	6	7	9	2	5	3	4	1
5	9	2	1	3	4	7	8	6
4	1	3	6	7	8	2	5	9
2	4	9	8	1	3	6	7	5
3	8	1	5	6	7	9	2	4
7	5	6	4	9	2	1	3	8
1	7	8	2	5	6	4	9	3
6	2	5	3	4	9	8	1	7
9	3	4	7	8	1	5	6	2

147

5	3	7	6	9	2	4	1	8
4	9	1	8	5	3	6	7	2
8	6	2	7	1	4	3	5	9
3	2	4	5	7	8	9	6	1
7	1	8	9	3	6	2	4	5
6	5	9	2	4	1	7	8	3
9	8	3	1	6	7	5	2	4
1	7	5	4	2	9	8	3	6
2	4	6	3	8	5	1	9	7

148

1	5	2	9	8	4	7	3	6
7	8	3	2	6	1	5	4	9
4	9	6	3	7	5	8	2	1
5	7	1	8	4	3	9	6	2
9	6	4	1	2	7	3	8	5
2	3	8	6	5	9	1	7	4
8	1	7	4	9	6	2	5	3
6	2	9	5	3	8	4	1	7
3	4	5	7	1	2	6	9	8

149

6	8	5	4	9	7	2	1	3
9	2	4	1	3	8	6	5	7
1	3	7	6	5	2	9	4	8
3	9	8	5	7	6	1	2	4
4	1	6	9	2	3	7	8	5
7	5	2	8	1	4	3	6	9
5	6	1	3	4	9	8	7	2
2	4	3	7	8	1	5	9	6
8	7	9	2	6	5	4	3	1

150

4	3	7	1	2	9	8	6	5
2	5	1	8	4	6	9	3	7
9	8	6	7	5	3	4	2	1
8	7	5	4	6	1	2	9	3
1	9	4	3	7	2	5	8	6
3	6	2	5	9	8	1	7	4
6	2	3	9	1	4	7	5	8
5	4	8	2	3	7	6	1	9
7	1	9	6	8	5	3	4	2

151

4	8	9	5	1	2	7	6	3
6	3	5	9	7	8	1	4	2
2	7	1	6	4	3	5	9	8
3	9	7	4	8	1	2	5	6
5	2	8	7	9	6	3	1	4
1	4	6	2	3	5	8	7	9
8	6	3	1	5	4	9	2	7
7	5	2	3	6	9	4	8	1
9	1	4	8	2	7	6	3	5

152

7	8	1	4	9	3	6	5	2
9	4	5	6	2	1	7	8	3
2	3	6	8	5	7	4	9	1
5	7	4	9	3	8	1	2	6
6	1	2	5	7	4	8	3	9
3	9	8	2	1	6	5	7	4
1	5	7	3	6	9	2	4	8
4	6	3	7	8	2	9	1	5
8	2	9	1	4	5	3	6	7

153

8	9	4	1	3	7	5	6	2
1	2	5	4	9	6	8	7	3
6	7	3	2	5	8	1	9	4
2	5	9	8	6	4	7	3	1
3	1	7	9	2	5	4	8	6
4	6	8	3	7	1	9	2	5
9	4	6	5	8	2	3	1	7
7	8	1	6	4	3	2	5	9
5	3	2	7	1	9	6	4	8

154

1	7	4	8	2	6	3	5	9
3	6	5	1	4	9	8	7	2
2	8	9	3	7	5	6	4	1
6	4	8	2	9	1	5	3	7
5	3	2	7	6	8	9	1	4
9	1	7	4	5	3	2	8	6
4	9	6	5	3	7	1	2	8
8	2	3	9	1	4	7	6	5
7	5	1	6	8	2	4	9	3

155

6	2	1	4	8	9	5	3	7
5	4	3	7	2	1	9	6	8
8	7	9	3	5	6	2	1	4
2	3	7	1	4	8	6	5	9
1	8	6	9	7	5	4	2	3
9	5	4	6	3	2	7	8	1
7	9	2	5	1	3	8	4	6
3	6	5	8	9	4	1	7	2
4	1	8	2	6	7	3	9	5

156

2	6	4	3	7	9	5	8	1
1	8	7	5	6	4	9	2	3
3	9	5	2	8	1	4	7	6
5	3	9	6	4	2	8	1	7
8	7	1	9	3	5	2	6	4
4	2	6	8	1	7	3	9	5
7	4	2	1	5	8	6	3	9
9	1	3	4	2	6	7	5	8
6	5	8	7	9	3	1	4	2

157

6	9	1	4	7	8	2	3	5
7	5	8	9	2	3	1	6	4
2	4	3	6	5	1	9	8	7
8	1	4	5	6	9	3	7	2
9	6	2	3	1	7	5	4	8
5	3	7	8	4	2	6	1	9
1	8	5	7	9	6	4	2	3
3	2	9	1	8	4	7	5	6
4	7	6	2	3	5	8	9	1

158

6	2	3	7	9	5	4	8	1
7	1	4	6	8	2	3	9	5
5	9	8	3	1	4	2	7	6
3	6	2	1	4	7	9	5	8
9	8	5	2	6	3	7	1	4
4	7	1	9	5	8	6	2	3
2	5	6	4	7	1	8	3	9
1	3	9	8	2	6	5	4	7
8	4	7	5	3	9	1	6	2

159

7	5	9	2	8	6	1	3	4
3	2	8	9	4	1	6	5	7
6	4	1	3	7	5	2	9	8
5	8	6	4	9	3	7	2	1
4	1	2	7	5	8	3	6	9
9	7	3	6	1	2	4	8	5
1	6	4	8	3	9	5	7	2
2	9	5	1	6	7	8	4	3
8	3	7	5	2	4	9	1	6

160

7	2	6	5	1	8	4	3	9
9	5	4	6	3	2	8	7	1
3	1	8	7	4	9	5	6	2
2	4	9	3	6	7	1	5	8
5	7	1	2	8	4	3	9	6
8	6	3	9	5	1	7	2	4
4	9	7	1	2	5	6	8	3
1	3	2	8	7	6	9	4	5
6	8	5	4	9	3	2	1	7

161

7	1	5	6	3	4	8	9	2
3	4	6	9	2	8	1	5	7
2	8	9	5	7	1	4	6	3
8	5	2	7	1	6	9	3	4
4	9	3	2	8	5	6	7	1
1	6	7	3	4	9	5	2	8
6	3	1	4	9	2	7	8	5
9	2	4	8	5	7	3	1	6
5	7	8	1	6	3	2	4	9

162

9	4	5	1	6	7	2	3	8
8	1	2	5	3	4	9	7	6
3	7	6	9	8	2	5	1	4
2	8	3	6	7	9	1	4	5
6	9	7	4	5	1	8	2	3
4	5	1	8	2	3	7	6	9
5	6	4	2	1	8	3	9	7
7	2	9	3	4	5	6	8	1
1	3	8	7	9	6	4	5	2

163

4	3	5	1	6	8	7	9	2
7	9	1	2	3	4	6	8	5
8	2	6	9	7	5	4	3	1
6	8	3	5	9	7	1	2	4
2	1	4	6	8	3	9	5	7
5	7	9	4	2	1	3	6	8
1	4	2	3	5	9	8	7	6
3	6	8	7	4	2	5	1	9
9	5	7	8	1	6	2	4	3

164

3	4	1	6	8	7	9	2	5
6	9	8	5	1	2	3	4	7
5	2	7	9	4	3	8	6	1
7	8	6	1	9	4	2	5	3
1	5	4	3	2	8	7	9	6
2	3	9	7	6	5	1	8	4
8	1	2	4	7	6	5	3	9
4	7	5	8	3	9	6	1	2
9	6	3	2	5	1	4	7	8

165

1	9	6	4	7	3	8	2	5
5	3	4	2	9	8	6	1	7
2	8	7	1	5	6	3	4	9
3	5	9	6	1	7	2	8	4
8	4	1	3	2	5	9	7	6
6	7	2	8	4	9	1	5	3
9	6	5	7	8	2	4	3	1
4	2	3	5	6	1	7	9	8
7	1	8	9	3	4	5	6	2

166

6	1	9	3	8	4	7	5	2
8	3	5	2	7	1	9	4	6
4	7	2	6	9	5	8	3	1
3	4	1	9	2	7	6	8	5
2	9	6	1	5	8	3	7	4
7	5	8	4	3	6	1	2	9
9	8	4	5	1	3	2	6	7
1	6	7	8	4	2	5	9	3
5	2	3	7	6	9	4	1	8

167

4	8	3	9	5	7	1	6	2
9	7	6	2	3	1	8	4	5
2	1	5	4	6	8	3	9	7
8	4	7	5	1	2	9	3	6
6	5	2	3	8	9	4	7	1
1	3	9	6	7	4	2	5	8
5	6	4	1	2	3	7	8	9
7	9	1	8	4	5	6	2	3
3	2	8	7	9	6	5	1	4

168

4	6	8	5	9	1	2	7	3
7	1	3	6	8	2	4	5	9
2	5	9	4	3	7	6	8	1
6	8	5	7	4	9	3	1	2
3	2	4	8	1	5	9	6	7
1	9	7	2	6	3	8	4	5
8	7	1	3	2	4	5	9	6
5	4	2	9	7	6	1	3	8
9	3	6	1	5	8	7	2	4

169

4	1	6	5	3	7	2	8	9
7	5	8	2	4	9	1	3	6
2	3	9	1	8	6	5	4	7
8	9	3	7	5	4	6	2	1
5	6	2	9	1	3	4	7	8
1	7	4	6	2	8	3	9	5
9	2	1	3	7	5	8	6	4
6	4	5	8	9	2	7	1	3
3	8	7	4	6	1	9	5	2

170

4	6	2	3	1	5	8	7	9
9	7	8	4	6	2	5	3	1
1	5	3	8	9	7	4	6	2
6	4	1	2	3	9	7	5	8
7	2	5	6	8	4	9	1	3
8	3	9	5	7	1	6	2	4
3	8	4	1	5	6	2	9	7
2	9	6	7	4	3	1	8	5
5	1	7	9	2	8	3	4	6

171

6	2	3	4	9	7	8	1	5
1	7	8	5	6	3	2	9	4
4	5	9	2	8	1	7	3	6
8	1	6	3	5	2	4	7	9
7	9	4	8	1	6	3	5	2
5	3	2	7	4	9	6	8	1
3	6	5	1	2	8	9	4	7
2	4	7	9	3	5	1	6	8
9	8	1	6	7	4	5	2	3

172

1	7	5	8	6	3	9	4	2
9	4	8	2	1	7	3	5	6
2	3	6	9	4	5	1	7	8
8	9	7	6	2	1	5	3	4
5	6	1	7	3	4	2	8	9
4	2	3	5	9	8	6	1	7
6	8	4	1	5	9	7	2	3
3	1	2	4	7	6	8	9	5
7	5	9	3	8	2	4	6	1

173

4	1	8	6	5	9	3	2	7
6	5	7	2	3	8	4	1	9
9	2	3	4	7	1	5	8	6
1	9	4	7	2	3	8	6	5
8	6	5	9	1	4	7	3	2
3	7	2	8	6	5	1	9	4
2	8	6	1	4	7	9	5	3
5	4	1	3	9	2	6	7	8
7	3	9	5	8	6	2	4	1

174

4	8	3	5	7	1	6	2	9
5	2	7	3	9	6	4	8	1
6	9	1	8	4	2	7	5	3
1	4	9	7	3	5	2	6	8
8	5	6	1	2	9	3	4	7
3	7	2	4	6	8	1	9	5
2	3	8	6	5	7	9	1	4
7	6	5	9	1	4	8	3	2
9	1	4	2	8	3	5	7	6

175

4	1	5	2	7	3	9	6	8
3	9	8	6	1	4	7	2	5
7	2	6	9	8	5	4	1	3
1	3	9	5	4	6	8	7	2
6	8	7	1	9	2	3	5	4
5	4	2	7	3	8	6	9	1
2	6	4	3	5	9	1	8	7
8	5	1	4	6	7	2	3	9
9	7	3	8	2	1	5	4	6

176

5	6	4	1	8	2	9	7	3
8	2	9	5	7	3	6	1	4
1	3	7	6	4	9	5	8	2
4	8	5	2	3	7	1	9	6
7	1	6	4	9	5	2	3	8
2	9	3	8	1	6	7	4	5
3	5	1	9	2	4	8	6	7
6	7	8	3	5	1	4	2	9
9	4	2	7	6	8	3	5	1

177

5	9	2	7	1	4	6	3	8
3	4	1	6	8	2	7	9	5
7	8	6	9	5	3	4	2	1
9	1	7	3	2	8	5	4	6
8	6	4	1	9	5	3	7	2
2	5	3	4	6	7	8	1	9
6	7	8	2	3	1	9	5	4
4	2	9	5	7	6	1	8	3
1	3	5	8	4	9	2	6	7

178

6	1	8	2	9	4	5	7	3
2	4	9	5	3	7	8	1	6
3	5	7	1	8	6	9	2	4
7	3	5	4	6	9	1	8	2
9	8	2	3	1	5	6	4	7
4	6	1	7	2	8	3	9	5
8	7	6	9	4	3	2	5	1
1	9	4	6	5	2	7	3	8
5	2	3	8	7	1	4	6	9

179

9	1	6	3	2	5	8	7	4
7	8	2	1	4	6	3	9	5
5	3	4	8	7	9	6	2	1
4	9	1	2	8	7	5	3	6
8	2	3	6	5	4	9	1	7
6	5	7	9	3	1	4	8	2
2	4	9	7	6	8	1	5	3
1	7	5	4	9	3	2	6	8
3	6	8	5	1	2	7	4	9

180

9	8	2	5	4	7	3	6	1
5	7	6	1	3	9	4	2	8
3	4	1	2	6	8	9	7	5
4	1	8	7	5	3	2	9	6
7	5	3	9	2	6	1	8	4
2	6	9	8	1	4	7	5	3
6	3	5	4	9	2	8	1	7
1	2	7	3	8	5	6	4	9
8	9	4	6	7	1	5	3	2

181

8	4	9	2	5	6	3	1	7
1	7	2	8	4	3	5	6	9
3	6	5	9	7	1	4	8	2
5	9	1	3	8	7	6	2	4
7	2	8	6	9	4	1	3	5
4	3	6	1	2	5	7	9	8
9	1	7	5	6	2	8	4	3
2	5	3	4	1	8	9	7	6
6	8	4	7	3	9	2	5	1

182

6	4	2	1	5	9	7	3	8
5	8	3	4	6	7	2	9	1
1	7	9	8	2	3	4	5	6
4	3	8	2	1	6	5	7	9
2	5	7	3	9	8	6	1	4
9	1	6	5	7	4	8	2	3
7	6	1	9	4	5	3	8	2
3	2	4	7	8	1	9	6	5
8	9	5	6	3	2	1	4	7

183

7	4	8	2	3	1	9	6	5
6	2	3	9	5	7	4	8	1
5	9	1	8	6	4	3	7	2
2	8	5	7	1	9	6	4	3
9	3	4	6	8	2	5	1	7
1	7	6	3	4	5	2	9	8
4	6	2	5	7	8	1	3	9
8	1	9	4	2	3	7	5	6
3	5	7	1	9	6	8	2	4

184

2	5	6	8	3	4	9	7	1
4	1	8	9	7	6	3	5	2
7	3	9	2	5	1	6	8	4
3	2	5	1	9	7	8	4	6
9	7	1	6	4	8	2	3	5
6	8	4	3	2	5	7	1	9
8	4	7	5	6	2	1	9	3
5	6	3	7	1	9	4	2	8
1	9	2	4	8	3	5	6	7

185

2	9	3	1	7	6	8	4	5
4	1	7	2	5	8	6	9	3
6	5	8	3	9	4	7	2	1
1	4	6	5	8	2	3	7	9
5	8	2	7	3	9	4	1	6
3	7	9	4	6	1	5	8	2
7	6	1	9	4	3	2	5	8
9	3	5	8	2	7	1	6	4
8	2	4	6	1	5	9	3	7

186

6	2	9	3	5	4	7	1	8
8	3	1	7	9	6	2	4	5
5	7	4	8	1	2	9	6	3
3	4	7	2	8	1	5	9	6
2	1	8	9	6	5	4	3	7
9	6	5	4	3	7	8	2	1
1	9	6	5	2	8	3	7	4
4	5	3	6	7	9	1	8	2
7	8	2	1	4	3	6	5	9

187

1	4	9	8	2	7	5	3	6
7	3	5	6	9	4	1	2	8
2	8	6	3	5	1	7	9	4
9	1	3	2	4	6	8	7	5
5	6	8	9	7	3	4	1	2
4	7	2	5	1	8	3	6	9
8	5	1	7	6	2	9	4	3
3	2	7	4	8	9	6	5	1
6	9	4	1	3	5	2	8	7

188

5	7	2	3	9	4	8	1	6
3	1	4	5	8	6	9	7	2
6	9	8	1	2	7	5	4	3
7	2	5	8	6	9	4	3	1
8	6	9	4	3	1	2	5	7
1	4	3	2	7	5	6	8	9
4	3	6	7	5	2	1	9	8
9	5	7	6	1	8	3	2	4
2	8	1	9	4	3	7	6	5

189

5	2	3	9	4	8	6	7	1
6	7	9	5	1	2	8	3	4
1	4	8	6	7	3	5	2	9
3	9	7	4	8	6	1	5	2
2	5	1	3	9	7	4	6	8
8	6	4	2	5	1	7	9	3
9	1	2	8	6	5	3	4	7
7	3	6	1	2	4	9	8	5
4	8	5	7	3	9	2	1	6

190

4	1	3	5	6	2	8	9	7
8	6	7	1	4	9	5	3	2
9	2	5	3	7	8	4	1	6
6	7	4	2	9	5	1	8	3
2	5	8	7	3	1	9	6	4
1	3	9	6	8	4	7	2	5
5	4	2	9	1	3	6	7	8
7	8	1	4	2	6	3	5	9
3	9	6	8	5	7	2	4	1

191

8	1	3	4	5	2	9	7	6
7	4	2	6	3	9	5	8	1
6	5	9	1	8	7	4	3	2
4	7	5	2	1	3	6	9	8
9	8	6	7	4	5	2	1	3
3	2	1	9	6	8	7	4	5
1	9	4	8	2	6	3	5	7
2	3	7	5	9	1	8	6	4
5	6	8	3	7	4	1	2	9

192

9	4	8	3	1	6	5	7	2
5	6	3	4	2	7	9	1	8
7	2	1	5	9	8	6	4	3
2	3	7	6	8	9	1	5	4
8	9	4	1	7	5	3	2	6
1	5	6	2	3	4	7	8	9
3	1	9	7	4	2	8	6	5
6	8	2	9	5	1	4	3	7
4	7	5	8	6	3	2	9	1

193

2	4	5	8	1	3	7	6	9
6	7	1	9	4	2	5	8	3
8	9	3	5	7	6	2	1	4
9	5	6	3	2	4	8	7	1
3	2	7	1	6	8	9	4	5
1	8	4	7	9	5	6	3	2
5	6	8	2	3	1	4	9	7
7	3	2	4	8	9	1	5	6
4	1	9	6	5	7	3	2	8

194

8	4	2	3	5	9	6	1	7
5	6	9	4	1	7	3	2	8
7	1	3	8	6	2	9	5	4
3	2	8	1	7	6	5	4	9
9	5	4	2	8	3	7	6	1
6	7	1	5	9	4	2	8	3
4	9	7	6	2	8	1	3	5
2	8	5	7	3	1	4	9	6
1	3	6	9	4	5	8	7	2

195

8	3	2	7	5	1	9	4	6
4	5	6	2	8	9	7	3	1
7	9	1	6	4	3	5	8	2
5	8	7	4	1	6	2	9	3
1	4	3	8	9	2	6	5	7
6	2	9	3	7	5	8	1	4
9	7	8	1	2	4	3	6	5
2	6	4	5	3	8	1	7	9
3	1	5	9	6	7	4	2	8

196

8	6	3	9	5	2	4	1	7
9	5	7	3	4	1	6	2	8
4	1	2	6	8	7	9	5	3
7	2	9	4	1	3	8	6	5
1	3	4	5	6	8	2	7	9
5	8	6	7	2	9	3	4	1
2	9	5	8	7	6	1	3	4
6	4	8	1	3	5	7	9	2
3	7	1	2	9	4	5	8	6

197

6	5	2	3	4	1	9	8	7
3	7	4	2	9	8	1	6	5
9	8	1	7	6	5	3	4	2
5	4	7	6	2	9	8	3	1
8	9	3	5	1	7	6	2	4
2	1	6	4	8	3	5	7	9
7	6	9	1	3	4	2	5	8
4	3	8	9	5	2	7	1	6
1	2	5	8	7	6	4	9	3

198

2	8	7	3	4	6	5	9	1
3	4	6	5	9	1	8	7	2
5	9	1	8	7	2	4	6	3
7	2	8	6	3	4	1	5	9
6	3	4	1	5	9	2	8	7
1	5	9	2	8	7	3	4	6
8	7	2	4	6	3	9	1	5
4	6	3	9	1	5	7	2	8
9	1	5	7	2	8	6	3	4

199

9	2	3	1	8	7	6	5	4
5	8	7	4	6	2	9	1	3
1	6	4	5	9	3	7	8	2
4	9	5	3	1	8	2	7	6
8	3	2	7	5	6	1	4	9
6	7	1	2	4	9	5	3	8
2	4	6	8	7	1	3	9	5
7	5	9	6	3	4	8	2	1
3	1	8	9	2	5	4	6	7

200

5	4	3	1	8	9	6	7	2
2	8	7	6	4	3	5	1	9
9	6	1	7	2	5	3	8	4
6	5	2	9	1	8	4	3	7
7	3	4	5	6	2	8	9	1
1	9	8	4	3	7	2	5	6
4	2	5	3	7	1	9	6	8
8	7	9	2	5	6	1	4	3
3	1	6	8	9	4	7	2	5

201

2	3	7	1	8	6	4	9	5
6	5	8	4	2	9	1	3	7
9	1	4	3	7	5	8	6	2
1	8	5	6	3	7	9	2	4
4	2	9	8	5	1	6	7	3
3	7	6	2	9	4	5	8	1
7	9	3	5	1	8	2	4	6
8	6	1	7	4	2	3	5	9
5	4	2	9	6	3	7	1	8

202

5	2	9	7	1	4	3	6	8
7	1	4	3	6	8	5	2	9
3	6	8	5	2	9	7	1	4
1	4	3	6	8	5	2	9	7
2	9	7	1	4	3	6	8	5
6	8	5	2	9	7	1	4	3
4	3	6	8	5	2	9	7	1
8	5	2	9	7	1	4	3	6
9	7	1	4	3	6	8	5	2

203

5	1	6	2	3	9	8	4	7
4	7	2	5	8	6	9	1	3
9	8	3	1	4	7	5	6	2
3	9	7	4	5	1	6	2	8
6	4	5	8	7	2	1	3	9
1	2	8	6	9	3	7	5	4
7	5	1	3	2	8	4	9	6
8	3	4	9	6	5	2	7	1
2	6	9	7	1	4	3	8	5

204

7	4	8	9	6	5	1	2	3
1	9	2	3	4	8	5	7	6
5	3	6	1	2	7	8	4	9
4	5	9	7	1	6	3	8	2
6	1	3	8	9	2	7	5	4
2	8	7	5	3	4	9	6	1
3	7	4	2	5	1	6	9	8
8	2	1	6	7	9	4	3	5
9	6	5	4	8	3	2	1	7

205

6	3	2	7	5	8	1	9	4
8	1	4	9	6	2	3	5	7
7	9	5	4	3	1	8	6	2
3	7	6	1	4	5	9	2	8
4	8	1	6	2	9	5	7	3
2	5	9	3	8	7	4	1	6
9	6	8	5	7	3	2	4	1
5	4	3	2	1	6	7	8	9
1	2	7	8	9	4	6	3	5

206

7	5	8	3	6	9	1	4	2
9	2	6	5	1	4	3	7	8
3	1	4	2	7	8	5	9	6
5	6	1	8	3	7	9	2	4
8	4	9	1	2	6	7	5	3
2	7	3	9	4	5	6	8	1
4	8	7	6	9	1	2	3	5
1	9	2	4	5	3	8	6	7
6	3	5	7	8	2	4	1	9

207

9	3	5	8	7	1	4	2	6
4	7	6	5	2	9	3	1	8
1	2	8	6	3	4	5	9	7
2	6	9	7	4	8	1	5	3
3	5	7	2	1	6	9	8	4
8	4	1	3	9	5	7	6	2
5	1	2	4	6	7	8	3	9
6	9	4	1	8	3	2	7	5
7	8	3	9	5	2	6	4	1

208

4	1	2	8	9	7	3	5	6
5	6	3	1	2	4	9	7	8
7	8	9	6	3	5	2	4	1
3	7	6	5	1	2	8	9	4
9	4	8	7	6	3	1	2	5
2	5	1	4	8	9	6	3	7
8	2	4	9	7	6	5	1	3
1	3	5	2	4	8	7	6	9
6	9	7	3	5	1	4	8	2

209

1	8	4	2	3	6	7	5	9
3	6	2	5	7	9	8	4	1
5	9	7	1	8	4	3	6	2
8	5	1	6	9	3	4	2	7
2	3	9	4	1	7	5	8	6
4	7	6	8	5	2	1	9	3
9	2	5	3	4	1	6	7	8
6	1	8	7	2	5	9	3	4
7	4	3	9	6	8	2	1	5

210

3	9	4	5	2	8	7	6	1
8	6	7	1	3	4	9	2	5
5	1	2	7	6	9	8	3	4
1	7	3	9	8	2	4	5	6
4	2	5	3	7	6	1	8	9
9	8	6	4	5	1	3	7	2
2	5	1	8	9	3	6	4	7
6	3	9	2	4	7	5	1	8
7	4	8	6	1	5	2	9	3

211

4	8	7	9	5	1	6	3	2
2	1	3	6	4	7	5	9	8
9	5	6	8	2	3	7	4	1
6	7	9	3	1	2	4	8	5
1	2	4	5	6	8	3	7	9
8	3	5	7	9	4	2	1	6
3	9	2	1	7	6	8	5	4
5	4	8	2	3	9	1	6	7
7	6	1	4	8	5	9	2	3

212

9	8	4	1	3	5	6	2	7
6	7	5	4	2	8	1	9	3
2	1	3	9	7	6	4	8	5
1	2	6	7	8	4	3	5	9
7	4	8	3	5	9	2	6	1
5	3	9	2	6	1	8	7	4
3	5	2	8	1	7	9	4	6
8	9	7	6	4	3	5	1	2
4	6	1	5	9	2	7	3	8

213

6	3	4	2	8	7	9	1	5
1	2	8	4	5	9	7	6	3
7	9	5	3	6	1	4	8	2
5	6	7	8	2	3	1	4	9
8	1	9	7	4	5	3	2	6
3	4	2	9	1	6	8	5	7
4	5	3	6	9	8	2	7	1
2	7	1	5	3	4	6	9	8
9	8	6	1	7	2	5	3	4

214

9	6	7	8	1	2	4	5	3
4	2	1	3	5	9	7	6	8
5	3	8	6	7	4	9	1	2
1	4	6	5	2	8	3	9	7
7	8	3	1	9	6	2	4	5
2	9	5	7	4	3	6	8	1
3	7	4	9	8	5	1	2	6
8	1	2	4	6	7	5	3	9
6	5	9	2	3	1	8	7	4

215

9	5	6	4	3	8	7	2	1
2	3	7	6	9	1	4	5	8
8	4	1	2	7	5	9	3	6
5	2	4	9	6	7	8	1	3
7	1	8	5	2	3	6	4	9
3	6	9	8	1	4	5	7	2
4	7	2	1	8	6	3	9	5
6	9	5	3	4	2	1	8	7
1	8	3	7	5	9	2	6	4

216

6	2	1	4	5	8	3	7	9
8	3	9	2	6	7	1	5	4
5	4	7	1	3	9	6	8	2
3	7	6	9	8	5	2	4	1
2	5	4	7	1	3	9	6	8
1	9	8	6	2	4	7	3	5
9	6	5	3	4	1	8	2	7
4	1	3	8	7	2	5	9	6
7	8	2	5	9	6	4	1	3

217

1	8	4	3	6	9	2	7	5
3	2	7	8	5	1	9	4	6
5	6	9	7	2	4	3	8	1
6	5	8	2	1	7	4	9	3
9	3	2	4	8	6	5	1	7
4	7	1	9	3	5	6	2	8
7	9	5	6	4	8	1	3	2
2	4	6	1	7	3	8	5	9
8	1	3	5	9	2	7	6	4

218

2	4	8	3	7	6	5	1	9
6	9	5	1	4	2	3	8	7
7	3	1	9	5	8	4	6	2
9	5	7	4	2	1	8	3	6
8	6	3	7	9	5	2	4	1
4	1	2	8	6	3	7	9	5
1	2	4	5	8	9	6	7	3
3	8	6	2	1	7	9	5	4
5	7	9	6	3	4	1	2	8

219

5	7	4	1	3	2	6	8	9
6	1	3	4	8	9	2	5	7
2	9	8	7	5	6	3	1	4
8	2	1	5	9	4	7	6	3
3	4	7	8	6	1	9	2	5
9	6	5	3	2	7	1	4	8
4	8	9	2	1	3	5	7	6
1	5	6	9	7	8	4	3	2
7	3	2	6	4	5	8	9	1

220

7	9	4	2	5	8	6	1	3
5	2	3	9	1	6	7	8	4
6	8	1	3	4	7	2	5	9
2	3	8	7	6	1	4	9	5
4	7	6	5	8	9	3	2	1
9	1	5	4	3	2	8	6	7
3	6	9	1	2	4	5	7	8
8	5	7	6	9	3	1	4	2
1	4	2	8	7	5	9	3	6

221

7	5	1	9	8	4	6	2	3
2	6	8	7	5	3	4	1	9
9	3	4	1	6	2	7	8	5
4	9	6	8	2	7	5	3	1
8	7	2	5	3	1	9	6	4
5	1	3	6	4	9	8	7	2
1	2	9	4	7	6	3	5	8
6	4	5	3	1	8	2	9	7
3	8	7	2	9	5	1	4	6

222

9	2	3	8	1	5	6	4	7
1	5	4	6	2	7	9	3	8
8	6	7	4	3	9	5	1	2
6	1	2	7	9	3	4	8	5
4	3	8	2	5	6	7	9	1
5	7	9	1	4	8	2	6	3
2	8	5	3	6	4	1	7	9
7	9	6	5	8	1	3	2	4
3	4	1	9	7	2	8	5	6

223

4	5	3	7	1	9	6	8	2
2	7	8	5	4	6	9	3	1
6	1	9	8	3	2	7	4	5
1	3	4	2	7	8	5	6	9
5	8	2	9	6	4	3	1	7
7	9	6	1	5	3	8	2	4
3	6	7	4	2	5	1	9	8
8	2	1	6	9	7	4	5	3
9	4	5	3	8	1	2	7	6

224

6	3	8	2	7	9	4	5	1
1	7	4	3	5	6	8	9	2
9	2	5	8	4	1	3	6	7
2	8	1	7	6	4	5	3	9
7	4	9	5	3	2	6	1	8
3	5	6	1	9	8	2	7	4
8	9	2	6	1	5	7	4	3
4	6	7	9	2	3	1	8	5
5	1	3	4	8	7	9	2	6

225

6	3	4	7	9	2	1	5	8
5	9	7	8	1	3	6	4	2
2	1	8	6	5	4	3	7	9
1	4	5	2	3	9	8	6	7
9	8	6	4	7	5	2	1	3
7	2	3	1	8	6	5	9	4
3	5	1	9	2	7	4	8	6
8	6	9	3	4	1	7	2	5
4	7	2	5	6	8	9	3	1

226

6	4	3	8	1	9	7	2	5
8	7	9	4	5	2	3	6	1
1	2	5	6	3	7	9	8	4
7	3	4	5	2	6	8	1	9
9	1	8	7	4	3	6	5	2
2	5	6	9	8	1	4	3	7
4	9	1	2	6	8	5	7	3
5	8	2	3	7	4	1	9	6
3	6	7	1	9	5	2	4	8

227

5	2	4	9	6	8	7	3	1
6	7	3	1	4	5	2	9	8
1	8	9	2	7	3	5	6	4
3	5	7	4	9	1	6	8	2
4	9	8	6	5	2	3	1	7
2	6	1	8	3	7	4	5	9
8	3	2	5	1	4	9	7	6
9	1	5	7	2	6	8	4	3
7	4	6	3	8	9	1	2	5

228

7	6	5	8	1	9	3	4	2
4	3	1	7	6	2	9	5	8
8	2	9	5	3	4	7	1	6
9	8	3	1	4	7	6	2	5
1	7	4	6	2	5	8	3	9
6	5	2	3	9	8	1	7	4
5	4	8	9	7	3	2	6	1
3	9	6	2	5	1	4	8	7
2	1	7	4	8	6	5	9	3

229

7	3	9	6	1	5	2	8	4
2	8	4	7	3	9	6	1	5
6	1	5	2	8	4	7	3	9
3	9	6	1	5	2	8	4	7
1	5	2	8	4	7	3	9	6
8	4	7	3	9	6	1	5	2
5	2	8	4	7	3	9	6	1
9	6	1	5	2	8	4	7	3
4	7	3	9	6	1	5	2	8

230

2	1	4	7	3	5	8	6	9
3	5	9	4	6	8	2	1	7
6	7	8	1	9	2	4	5	3
1	4	2	6	8	7	3	9	5
9	3	5	2	1	4	7	8	6
7	8	6	3	5	9	1	4	2
4	6	3	9	2	1	5	7	8
5	2	1	8	7	6	9	3	4
8	9	7	5	4	3	6	2	1

231

6	7	8	5	3	2	9	1	4
1	4	2	7	9	6	5	8	3
9	3	5	8	1	4	6	7	2
8	5	4	6	2	7	1	3	9
3	2	9	1	8	5	7	4	6
7	1	6	9	4	3	8	2	5
4	9	1	2	5	8	3	6	7
5	6	3	4	7	1	2	9	8
2	8	7	3	6	9	4	5	1

232

1	7	9	2	3	6	4	5	8
3	8	4	1	9	5	2	6	7
6	5	2	8	4	7	9	1	3
9	2	8	6	1	3	7	4	5
4	1	5	7	8	9	6	3	2
7	3	6	4	5	2	1	8	9
5	4	1	9	7	8	3	2	6
8	6	7	3	2	1	5	9	4
2	9	3	5	6	4	8	7	1

233

9	5	1	7	2	3	4	6	8
2	4	3	9	8	6	7	5	1
7	6	8	1	5	4	2	3	9
5	3	4	2	9	8	6	1	7
1	7	9	6	3	5	8	2	4
6	8	2	4	1	7	3	9	5
3	9	6	8	4	1	5	7	2
4	1	7	5	6	2	9	8	3
8	2	5	3	7	9	1	4	6

234

3	5	4	8	7	2	6	9	1
6	9	1	5	4	3	7	2	8
7	2	8	9	1	6	4	3	5
5	4	3	7	2	8	9	1	6
9	1	6	4	3	5	2	8	7
2	8	7	1	6	9	3	5	4
4	3	5	2	8	7	1	6	9
1	6	9	3	5	4	8	7	2
8	7	2	6	9	1	5	4	3

235

1	9	8	4	2	5	7	6	3
4	7	5	3	6	8	1	9	2
6	3	2	1	7	9	4	8	5
9	6	7	5	3	4	2	1	8
5	2	1	9	8	6	3	4	7
3	8	4	7	1	2	6	5	9
7	5	9	6	4	3	8	2	1
2	4	3	8	9	1	5	7	6
8	1	6	2	5	7	9	3	4

236

2	9	4	7	6	3	8	1	5
5	8	1	4	9	2	7	3	6
6	3	7	8	5	1	2	9	4
4	2	9	1	3	5	6	8	7
8	5	6	9	7	4	1	2	3
7	1	3	2	8	6	5	4	9
9	4	8	6	2	7	3	5	1
1	7	5	3	4	8	9	6	2
3	6	2	5	1	9	4	7	8

237

4	7	8	2	6	9	3	1	5
3	9	5	1	8	7	4	6	2
6	1	2	5	3	4	9	8	7
8	6	9	7	4	3	5	2	1
2	5	3	9	1	8	6	7	4
1	4	7	6	2	5	8	9	3
9	2	4	3	7	6	1	5	8
7	3	6	8	5	1	2	4	9
5	8	1	4	9	2	7	3	6

238

5	4	2	1	3	7	9	8	6
1	7	8	6	5	9	4	3	2
9	3	6	2	8	4	7	5	1
8	6	3	5	7	1	2	9	4
7	2	9	3	4	6	5	1	8
4	1	5	8	9	2	3	6	7
6	9	4	7	1	3	8	2	5
2	5	7	9	6	8	1	4	3
3	8	1	4	2	5	6	7	9

239

7	4	1	8	6	2	5	3	9
2	9	6	5	7	3	4	1	8
5	3	8	1	4	9	7	6	2
4	6	7	3	8	5	9	2	1
3	1	5	2	9	4	6	8	7
9	8	2	6	1	7	3	4	5
6	5	3	9	2	8	1	7	4
8	7	9	4	3	1	2	5	6
1	2	4	7	5	6	8	9	3

240

3	9	1	5	7	2	4	6	8
7	2	8	3	4	6	5	1	9
5	4	6	1	9	8	3	2	7
6	3	7	8	1	4	9	5	2
1	5	4	2	3	9	7	8	6
2	8	9	6	5	7	1	3	4
8	7	5	9	6	1	2	4	3
4	6	3	7	2	5	8	9	1
9	1	2	4	8	3	6	7	5

241

4	2	1	3	6	8	9	5	7
3	7	9	5	1	2	8	4	6
6	5	8	9	4	7	3	2	1
7	9	5	6	8	4	2	1	3
1	3	2	7	9	5	6	8	4
8	6	4	1	2	3	5	7	9
2	8	3	4	7	9	1	6	5
5	4	6	2	3	1	7	9	8
9	1	7	8	5	6	4	3	2

242

8	7	6	1	4	3	2	5	9
4	1	3	2	9	5	6	8	7
2	5	9	8	6	7	4	1	3
3	4	1	9	5	2	7	6	8
9	2	5	6	7	8	3	4	1
6	8	7	4	3	1	9	2	5
5	9	2	7	8	6	1	3	4
7	6	8	3	1	4	5	9	2
1	3	4	5	2	9	8	7	6

243

8	2	4	9	3	1	7	6	5
3	9	7	8	6	5	4	2	1
5	1	6	7	2	4	9	8	3
1	7	5	3	9	2	6	4	8
9	8	3	6	4	7	1	5	2
4	6	2	5	1	8	3	7	9
7	4	8	1	5	9	2	3	6
6	5	1	2	7	3	8	9	4
2	3	9	4	8	6	5	1	7

244

3	5	6	9	8	1	7	4	2
7	4	2	3	6	5	8	9	1
1	8	9	2	4	7	5	6	3
2	7	4	6	5	3	1	8	9
9	1	8	4	7	2	3	5	6
6	3	5	8	1	9	2	7	4
8	9	1	7	2	4	6	3	5
5	6	3	1	9	8	4	2	7
4	2	7	5	3	6	9	1	8

245

9	7	8	3	5	1	4	2	6
2	5	3	8	6	4	1	9	7
6	4	1	9	2	7	3	5	8
7	8	2	1	3	6	9	4	5
5	9	4	7	8	2	6	3	1
3	1	6	4	9	5	7	8	2
8	6	9	2	1	3	5	7	4
1	2	7	5	4	9	8	6	3
4	3	5	6	7	8	2	1	9

246

3	9	6	4	2	8	7	1	5
5	1	7	9	6	3	4	2	8
4	2	8	5	7	1	6	3	9
2	8	4	3	1	6	5	9	7
7	6	9	2	5	4	1	8	3
1	3	5	8	9	7	2	4	6
8	7	1	6	3	2	9	5	4
9	4	2	7	8	5	3	6	1
6	5	3	1	4	9	8	7	2

247

5	6	9	7	3	8	2	4	1
2	3	4	9	5	1	7	6	8
7	8	1	6	4	2	9	5	3
6	5	2	3	1	9	4	8	7
8	1	7	4	2	6	3	9	5
4	9	3	8	7	5	1	2	6
3	7	5	2	8	4	6	1	9
9	2	8	1	6	7	5	3	4
1	4	6	5	9	3	8	7	2

248

7	8	5	6	9	1	2	3	4
1	2	3	8	7	4	6	5	9
6	9	4	2	3	5	7	1	8
4	1	7	5	2	6	8	9	3
8	6	2	9	4	3	5	7	1
5	3	9	7	1	8	4	6	2
3	4	6	1	5	2	9	8	7
2	7	8	3	6	9	1	4	5
9	5	1	4	8	7	3	2	6

249

9	2	1	5	8	6	3	4	7
8	3	4	7	1	9	5	6	2
5	6	7	4	3	2	8	1	9
3	1	8	6	7	5	2	9	4
6	4	5	9	2	3	1	7	8
2	7	9	1	4	8	6	3	5
1	5	6	2	9	7	4	8	3
4	9	3	8	5	1	7	2	6
7	8	2	3	6	4	9	5	1

250

9	2	5	7	8	3	6	4	1
6	7	4	1	2	5	3	9	8
8	1	3	4	6	9	2	5	7
2	4	1	5	7	8	9	6	3
5	8	9	3	1	6	7	2	4
3	6	7	9	4	2	1	8	5
1	3	2	6	5	4	8	7	9
4	9	6	8	3	7	5	1	2
7	5	8	2	9	1	4	3	6

251

8	7	9	5	4	1	6	3	2
4	5	3	6	8	2	9	1	7
1	2	6	3	9	7	4	5	8
6	8	2	7	5	4	1	9	3
5	4	7	9	1	3	2	8	6
3	9	1	8	2	6	7	4	5
9	3	4	2	7	5	8	6	1
2	1	5	4	6	8	3	7	9
7	6	8	1	3	9	5	2	4

252

7	2	3	8	5	9	4	6	1
6	5	8	4	1	2	7	3	9
1	9	4	6	7	3	5	8	2
5	3	9	1	2	8	6	7	4
8	1	6	7	9	4	2	5	3
4	7	2	5	3	6	9	1	8
9	4	5	3	8	7	1	2	6
2	8	1	9	6	5	3	4	7
3	6	7	2	4	1	8	9	5

253

8	1	5	7	2	4	9	6	3
2	3	4	1	9	6	7	8	5
7	6	9	5	3	8	4	2	1
9	8	6	3	5	1	2	4	7
1	7	2	8	4	9	3	5	6
5	4	3	6	7	2	1	9	8
3	2	8	4	1	5	6	7	9
6	9	1	2	8	7	5	3	4
4	5	7	9	6	3	8	1	2

254

9	8	7	5	3	1	4	6	2
4	6	1	2	8	7	3	9	5
3	5	2	9	4	6	8	7	1
6	1	8	3	7	2	5	4	9
5	7	4	6	9	8	1	2	3
2	9	3	4	1	5	6	8	7
1	2	5	8	6	9	7	3	4
8	3	9	7	5	4	2	1	6
7	4	6	1	2	3	9	5	8

255

1	7	5	2	4	6	8	9	3
4	6	2	8	9	3	5	7	1
8	9	3	1	7	5	6	2	4
3	5	7	9	1	8	4	6	2
2	1	8	6	5	4	7	3	9
6	4	9	7	3	2	1	5	8
5	3	6	4	8	9	2	1	7
9	8	1	5	2	7	3	4	6
7	2	4	3	6	1	9	8	5

256

6	2	5	1	4	7	9	8	3
8	4	7	5	3	9	6	1	2
1	3	9	2	6	8	5	4	7
7	1	6	9	2	3	4	5	8
4	8	3	6	5	1	7	2	9
9	5	2	7	8	4	3	6	1
5	9	8	3	1	6	2	7	4
3	6	1	4	7	2	8	9	5
2	7	4	8	9	5	1	3	6

257

2	5	1	9	6	8	3	4	7
9	6	8	4	7	3	5	1	2
7	4	3	1	2	5	9	6	8
8	9	6	2	4	1	7	5	3
5	2	7	8	3	6	1	9	4
3	1	4	7	5	9	2	8	6
6	8	5	3	9	7	4	2	1
4	7	9	6	1	2	8	3	5
1	3	2	5	8	4	6	7	9

258

7	4	3	1	9	8	6	5	2
9	2	6	5	3	7	8	4	1
5	1	8	4	6	2	3	7	9
6	7	2	8	4	3	1	9	5
8	9	1	6	7	5	4	2	3
4	3	5	9	2	1	7	8	6
3	6	4	2	8	9	5	1	7
1	8	9	7	5	6	2	3	4
2	5	7	3	1	4	9	6	8

259

1	4	7	2	9	3	8	5	6
3	9	8	6	5	7	1	4	2
6	2	5	4	8	1	3	9	7
8	1	4	3	6	5	2	7	9
5	3	6	9	7	2	4	1	8
9	7	2	8	1	4	6	3	5
7	6	1	5	4	8	9	2	3
4	8	3	7	2	9	5	6	1
2	5	9	1	3	6	7	8	4

260

3	6	7	9	5	4	1	8	2
8	5	1	3	2	7	9	6	4
9	2	4	8	6	1	5	3	7
7	9	3	1	8	5	2	4	6
5	1	2	4	3	6	8	7	9
6	4	8	7	9	2	3	1	5
4	8	9	5	7	3	6	2	1
2	7	5	6	1	8	4	9	3
1	3	6	2	4	9	7	5	8

261

6	7	2	9	1	4	8	3	5
3	1	5	2	8	7	6	4	9
4	9	8	5	6	3	1	7	2
1	5	7	3	9	6	4	2	8
9	2	3	4	5	8	7	6	1
8	6	4	7	2	1	9	5	3
5	4	9	8	7	2	3	1	6
7	8	6	1	3	5	2	9	4
2	3	1	6	4	9	5	8	7

262

4	6	1	9	3	8	5	7	2
5	7	8	2	6	4	1	3	9
9	2	3	7	1	5	4	6	8
1	5	7	4	9	3	2	8	6
3	4	9	6	8	2	7	5	1
6	8	2	1	5	7	9	4	3
8	9	5	3	7	1	6	2	4
2	3	6	5	4	9	8	1	7
7	1	4	8	2	6	3	9	5

263

3	4	6	5	9	1	7	8	2
9	7	1	4	8	2	5	6	3
2	8	5	3	7	6	1	9	4
7	2	8	9	1	4	6	3	5
1	9	4	6	3	5	2	7	8
5	6	3	8	2	7	9	4	1
4	1	2	7	6	3	8	5	9
6	3	9	2	5	8	4	1	7
8	5	7	1	4	9	3	2	6

264

2	5	8	9	6	4	3	7	1
3	9	4	2	7	1	8	5	6
1	6	7	3	5	8	4	2	9
7	1	2	6	4	3	9	8	5
5	8	9	1	2	7	6	3	4
4	3	6	8	9	5	2	1	7
6	2	1	5	8	9	7	4	3
9	7	5	4	3	2	1	6	8
8	4	3	7	1	6	5	9	2

265

6	8	7	3	9	5	1	4	2
2	4	3	8	1	7	9	6	5
1	9	5	6	4	2	7	3	8
5	1	8	7	3	9	4	2	6
4	2	6	5	8	1	3	9	7
7	3	9	2	6	4	8	5	1
3	5	2	4	7	8	6	1	9
8	6	1	9	2	3	5	7	4
9	7	4	1	5	6	2	8	3

266

4	8	9	6	2	5	1	7	3
1	5	7	4	3	9	8	2	6
6	2	3	1	8	7	4	5	9
9	6	5	2	1	3	7	8	4
3	4	2	9	7	8	6	1	5
7	1	8	5	4	6	3	9	2
2	3	1	7	9	4	5	6	8
8	7	6	3	5	2	9	4	1
5	9	4	8	6	1	2	3	7

267

1	8	7	5	9	4	6	2	3
3	4	6	2	8	1	5	7	9
5	9	2	3	7	6	8	1	4
9	2	4	8	6	3	7	5	1
7	5	1	9	4	2	3	8	6
6	3	8	7	1	5	9	4	2
4	7	5	1	3	9	2	6	8
2	1	3	6	5	8	4	9	7
8	6	9	4	2	7	1	3	5

268

7	9	1	3	8	4	6	2	5
3	5	8	9	6	2	4	1	7
2	4	6	5	7	1	9	8	3
6	2	7	1	5	9	3	4	8
4	8	3	6	2	7	1	5	9
5	1	9	4	3	8	7	6	2
9	3	4	8	1	5	2	7	6
1	7	5	2	9	6	8	3	4
8	6	2	7	4	3	5	9	1

269

1	2	4	5	8	9	7	6	3
6	7	9	2	1	3	8	4	5
3	5	8	4	7	6	2	9	1
9	3	1	6	2	7	5	8	4
7	4	6	8	9	5	3	1	2
2	8	5	3	4	1	6	7	9
4	6	7	1	5	2	9	3	8
5	1	3	9	6	8	4	2	7
8	9	2	7	3	4	1	5	6

270

4	5	1	6	7	3	2	8	9
2	9	7	4	8	5	6	3	1
6	3	8	2	1	9	7	4	5
9	2	4	3	6	8	5	1	7
8	1	3	5	2	7	9	6	4
7	6	5	9	4	1	3	2	8
1	8	9	7	3	6	4	5	2
3	7	2	1	5	4	8	9	6
5	4	6	8	9	2	1	7	3

271

4	2	6	7	3	5	1	8	9
8	9	5	1	2	6	3	4	7
3	7	1	9	8	4	2	5	6
1	6	4	3	7	9	5	2	8
7	8	9	5	1	2	6	3	4
2	5	3	6	4	8	7	9	1
5	4	7	8	6	3	9	1	2
6	3	8	2	9	1	4	7	5
9	1	2	4	5	7	8	6	3

272

6	5	4	2	7	3	1	8	9
9	1	8	5	6	4	2	3	7
7	2	3	1	9	8	5	4	6
3	7	5	9	8	2	6	1	4
8	9	2	6	4	1	7	5	3
4	6	1	7	3	5	9	2	8
1	4	9	3	5	6	8	7	2
2	8	7	4	1	9	3	6	5
5	3	6	8	2	7	4	9	1

273

3	2	6	5	1	4	7	9	8
8	4	9	6	7	3	1	2	5
5	7	1	9	2	8	3	6	4
2	6	8	7	3	9	4	5	1
7	5	3	1	4	6	9	8	2
9	1	4	2	8	5	6	3	7
4	3	7	8	9	2	5	1	6
1	8	5	3	6	7	2	4	9
6	9	2	4	5	1	8	7	3

274

8	7	4	2	9	6	3	1	5
6	1	5	3	4	7	2	8	9
3	9	2	8	1	5	4	6	7
5	4	1	7	3	8	9	2	6
9	2	6	1	5	4	8	7	3
7	8	3	6	2	9	5	4	1
4	3	7	5	8	1	6	9	2
2	6	8	9	7	3	1	5	4
1	5	9	4	6	2	7	3	8

275

2	3	4	1	5	8	6	7	9
8	7	1	9	3	6	5	4	2
6	5	9	4	7	2	8	1	3
4	6	7	8	9	5	3	2	1
5	2	3	6	1	7	9	8	4
1	9	8	2	4	3	7	6	5
9	4	6	3	8	1	2	5	7
7	1	2	5	6	9	4	3	8
3	8	5	7	2	4	1	9	6

276

5	6	7	4	9	8	3	2	1
3	1	9	2	7	5	6	4	8
2	8	4	6	1	3	9	5	7
7	9	6	5	8	2	1	3	4
1	5	3	9	4	6	8	7	2
8	4	2	7	3	1	5	9	6
4	7	1	8	5	9	2	6	3
6	3	5	1	2	7	4	8	9
9	2	8	3	6	4	7	1	5

277

5	2	4	7	6	1	3	9	8
9	3	1	4	5	8	7	6	2
8	7	6	9	2	3	5	1	4
3	4	5	6	7	9	8	2	1
6	8	7	1	4	2	9	3	5
1	9	2	8	3	5	6	4	7
4	1	8	3	9	7	2	5	6
7	5	9	2	1	6	4	8	3
2	6	3	5	8	4	1	7	9

278

2	8	3	9	5	6	1	7	4
9	7	4	8	3	1	6	2	5
1	5	6	4	7	2	3	9	8
8	2	1	5	6	9	4	3	7
5	6	9	3	4	7	2	8	1
4	3	7	2	1	8	5	6	9
3	1	8	7	2	4	9	5	6
6	9	2	1	8	5	7	4	3
7	4	5	6	9	3	8	1	2

279

4	8	1	9	6	2	5	7	3
3	5	2	1	7	8	4	9	6
6	7	9	3	4	5	8	2	1
5	6	3	4	2	9	7	1	8
7	2	4	8	5	1	3	6	9
9	1	8	7	3	6	2	4	5
1	4	5	6	8	7	9	3	2
2	3	6	5	9	4	1	8	7
8	9	7	2	1	3	6	5	4

280

7	8	3	6	2	5	4	9	1
5	2	6	9	4	1	3	8	7
9	1	4	7	3	8	5	2	6
3	9	7	1	8	4	6	5	2
1	5	8	2	7	6	9	4	3
4	6	2	5	9	3	7	1	8
6	7	9	4	1	2	8	3	5
8	4	1	3	5	7	2	6	9
2	3	5	8	6	9	1	7	4

281

3	1	6	7	5	8	9	2	4
7	4	8	6	2	9	5	3	1
5	9	2	4	1	3	6	7	8
8	5	4	2	7	6	3	1	9
6	3	1	5	9	4	2	8	7
9	2	7	8	3	1	4	6	5
1	7	5	9	6	2	8	4	3
2	8	3	1	4	5	7	9	6
4	6	9	3	8	7	1	5	2

282

9	1	3	7	2	4	5	8	6
7	8	5	6	1	3	2	9	4
4	2	6	9	8	5	7	3	1
3	6	8	5	4	7	1	2	9
1	4	7	2	9	6	3	5	8
2	5	9	1	3	8	4	6	7
5	3	1	4	6	9	8	7	2
8	9	4	3	7	2	6	1	5
6	7	2	8	5	1	9	4	3

283

5	6	2	1	3	9	7	8	4
9	3	8	7	4	2	1	6	5
7	1	4	5	6	8	9	2	3
2	4	9	6	8	7	3	5	1
1	7	6	3	2	5	4	9	8
8	5	3	4	9	1	6	7	2
6	8	7	2	1	4	5	3	9
3	9	1	8	5	6	2	4	7
4	2	5	9	7	3	8	1	6

284

3	6	7	1	8	9	2	4	5
2	1	5	3	6	4	9	8	7
8	4	9	7	2	5	6	3	1
1	2	4	6	9	3	7	5	8
9	3	8	5	4	7	1	2	6
5	7	6	2	1	8	3	9	4
7	8	2	4	3	6	5	1	9
4	5	1	9	7	2	8	6	3
6	9	3	8	5	1	4	7	2

285

7	9	2	5	6	1	8	3	4
5	4	8	7	3	2	9	6	1
6	1	3	8	4	9	5	2	7
9	8	5	3	1	4	2	7	6
1	2	7	6	5	8	3	4	9
4	3	6	2	9	7	1	5	8
8	6	1	4	2	3	7	9	5
3	5	9	1	7	6	4	8	2
2	7	4	9	8	5	6	1	3

286

6	2	5	9	7	3	8	4	1
3	7	4	2	1	8	5	9	6
8	1	9	4	6	5	2	3	7
2	9	1	6	3	7	4	8	5
4	3	6	8	5	9	1	7	2
5	8	7	1	2	4	9	6	3
9	5	2	7	8	6	3	1	4
7	4	3	5	9	1	6	2	8
1	6	8	3	4	2	7	5	9

287

4	6	2	7	8	5	1	3	9
7	1	9	3	4	6	5	2	8
3	5	8	2	1	9	7	4	6
8	9	4	5	6	3	2	1	7
1	3	7	4	2	8	9	6	5
5	2	6	9	7	1	3	8	4
2	7	3	8	5	4	6	9	1
9	8	1	6	3	7	4	5	2
6	4	5	1	9	2	8	7	3

288

9	8	7	2	6	5	4	1	3
4	1	5	9	3	7	2	8	6
6	3	2	1	4	8	7	9	5
7	9	8	5	1	4	3	6	2
3	2	6	8	7	9	1	5	4
5	4	1	3	2	6	8	7	9
2	7	9	4	5	1	6	3	8
8	6	4	7	9	3	5	2	1
1	5	3	6	8	2	9	4	7

289

5	2	3	1	7	8	6	9	4
6	9	4	2	5	3	1	8	7
1	8	7	9	6	4	2	3	5
7	1	8	6	4	9	5	2	3
4	6	9	5	3	2	7	1	8
3	5	2	7	8	1	4	6	9
2	3	5	8	1	7	9	4	6
9	4	6	3	2	5	8	7	1
8	7	1	4	9	6	3	5	2

290

4	7	6	1	9	8	5	3	2
3	1	2	6	5	4	8	9	7
5	9	8	7	3	2	1	6	4
6	2	5	8	1	9	4	7	3
7	3	4	2	6	5	9	8	1
9	8	1	4	7	3	2	5	6
8	6	7	5	2	1	3	4	9
2	4	9	3	8	7	6	1	5
1	5	3	9	4	6	7	2	8

291

5	4	2	9	6	1	3	8	7
9	3	1	8	2	7	6	5	4
6	8	7	5	3	4	2	9	1
2	6	5	3	7	8	4	1	9
4	7	9	2	1	5	8	6	3
3	1	8	6	4	9	5	7	2
7	9	3	4	5	6	1	2	8
8	2	6	1	9	3	7	4	5
1	5	4	7	8	2	9	3	6

292

1	2	8	5	3	9	7	6	4
9	5	3	6	4	7	8	1	2
4	7	6	2	8	1	3	5	9
6	8	4	7	2	3	5	9	1
7	1	9	4	5	6	2	3	8
2	3	5	1	9	8	6	4	7
8	9	1	3	7	5	4	2	6
3	4	7	9	6	2	1	8	5
5	6	2	8	1	4	9	7	3

293

6	5	8	7	2	9	3	4	1
9	7	1	5	3	4	2	8	6
2	3	4	6	8	1	9	7	5
5	1	6	2	4	8	7	3	9
7	4	9	3	5	6	8	1	2
3	8	2	9	1	7	5	6	4
4	6	3	8	9	2	1	5	7
8	9	7	1	6	5	4	2	3
1	2	5	4	7	3	6	9	8

294

3	8	5	2	6	4	7	1	9
6	4	9	1	3	7	5	2	8
1	2	7	8	5	9	6	4	3
4	1	6	5	9	3	2	8	7
8	7	3	6	1	2	4	9	5
9	5	2	7	4	8	3	6	1
5	3	1	4	8	6	9	7	2
7	6	8	9	2	5	1	3	4
2	9	4	3	7	1	8	5	6

295

9	1	5	3	7	8	4	6	2
8	6	7	2	4	9	5	3	1
3	2	4	1	6	5	9	7	8
4	9	3	7	8	2	1	5	6
6	5	1	9	3	4	2	8	7
7	8	2	5	1	6	3	9	4
2	4	9	6	5	7	8	1	3
5	3	6	8	2	1	7	4	9
1	7	8	4	9	3	6	2	5

296

9	6	4	8	5	3	1	7	2
5	1	3	2	9	7	6	4	8
8	2	7	6	1	4	3	9	5
3	8	6	1	7	5	4	2	9
4	5	1	9	2	6	8	3	7
7	9	2	3	4	8	5	1	6
2	3	9	5	8	1	7	6	4
1	7	5	4	6	2	9	8	3
6	4	8	7	3	9	2	5	1

297

3	5	8	4	2	7	9	1	6
4	6	2	1	9	3	5	7	8
7	9	1	8	5	6	2	3	4
9	8	4	7	6	5	1	2	3
2	1	7	3	4	8	6	9	5
5	3	6	9	1	2	4	8	7
1	7	9	5	3	4	8	6	2
8	2	5	6	7	1	3	4	9
6	4	3	2	8	9	7	5	1

298

7	1	2	3	8	4	9	5	6
6	5	9	2	7	1	8	4	3
4	3	8	5	6	9	1	2	7
3	8	4	1	9	7	2	6	5
2	6	7	8	5	3	4	1	9
5	9	1	4	2	6	3	7	8
9	4	6	7	1	8	5	3	2
8	2	3	6	4	5	7	9	1
1	7	5	9	3	2	6	8	4

299

6	4	9	1	3	7	2	5	8
3	5	2	6	8	4	9	1	7
1	8	7	5	2	9	3	6	4
8	2	4	9	6	5	1	7	3
5	9	1	4	7	3	6	8	2
7	6	3	2	1	8	5	4	9
2	7	8	3	5	1	4	9	6
4	1	6	8	9	2	7	3	5
9	3	5	7	4	6	8	2	1

300

1	4	9	7	2	8	5	6	3
5	6	3	9	4	1	8	2	7
8	2	7	3	6	5	1	4	9
2	7	1	8	3	6	4	9	5
6	3	8	5	9	4	2	7	1
4	9	5	1	7	2	6	3	8
9	5	6	4	1	7	3	8	2
3	8	2	6	5	9	7	1	4
7	1	4	2	8	3	9	5	6

301

6	4	3	5	9	2	7	1	8
8	9	5	1	7	3	6	2	4
7	1	2	8	4	6	9	5	3
1	6	8	7	3	9	5	4	2
9	3	4	2	8	5	1	7	6
5	2	7	6	1	4	3	8	9
4	7	6	9	2	1	8	3	5
2	8	9	3	5	7	4	6	1
3	5	1	4	6	8	2	9	7

302

4	6	2	9	1	8	7	5	3
9	3	7	5	2	6	8	4	1
1	5	8	7	4	3	9	6	2
3	7	5	1	8	4	6	2	9
2	9	6	3	7	5	1	8	4
8	1	4	2	6	9	5	3	7
6	8	9	4	3	7	2	1	5
5	4	1	6	9	2	3	7	8
7	2	3	8	5	1	4	9	6

303

8	2	3	4	1	9	6	7	5
1	9	6	7	2	5	4	3	8
5	4	7	6	8	3	9	2	1
4	6	1	2	3	7	5	8	9
7	5	2	8	9	4	3	1	6
3	8	9	5	6	1	2	4	7
6	1	8	3	5	2	7	9	4
9	3	4	1	7	6	8	5	2
2	7	5	9	4	8	1	6	3

304

6	3	4	5	1	2	8	9	7
8	1	2	7	3	9	4	5	6
5	9	7	8	6	4	3	2	1
4	6	8	9	5	1	2	7	3
1	5	9	2	7	3	6	8	4
2	7	3	4	8	6	9	1	5
3	8	1	6	9	7	5	4	2
9	2	6	1	4	5	7	3	8
7	4	5	3	2	8	1	6	9

305

5	2	3	1	6	9	4	8	7
8	6	9	4	2	7	1	3	5
1	7	4	5	3	8	6	9	2
9	1	5	7	8	4	3	2	6
2	3	8	6	1	5	9	7	4
7	4	6	2	9	3	8	5	1
4	8	1	3	7	2	5	6	9
3	5	7	9	4	6	2	1	8
6	9	2	8	5	1	7	4	3

306

2	1	6	5	8	4	3	7	9
8	5	9	6	7	3	4	1	2
4	3	7	9	2	1	5	8	6
7	6	5	3	9	2	8	4	1
3	4	2	1	6	8	7	9	5
1	9	8	4	5	7	2	6	3
9	2	3	7	4	6	1	5	8
5	8	4	2	1	9	6	3	7
6	7	1	8	3	5	9	2	4

307

3	4	7	6	9	8	1	2	5
9	6	8	1	5	2	3	4	7
2	5	1	7	4	3	8	9	6
7	3	4	9	8	6	5	1	2
1	2	5	4	3	7	6	8	9
8	9	6	5	2	1	7	3	4
5	1	2	3	7	4	9	6	8
4	7	3	8	6	9	2	5	1
6	8	9	2	1	5	4	7	3

308

5	4	2	7	6	3	8	9	1
9	6	3	8	2	1	7	4	5
8	1	7	4	9	5	6	2	3
4	2	8	6	1	7	3	5	9
7	3	6	5	4	9	1	8	2
1	9	5	2	3	8	4	7	6
3	5	1	9	8	4	2	6	7
2	7	4	1	5	6	9	3	8
6	8	9	3	7	2	5	1	4

309

6	8	9	5	2	3	7	1	4
5	2	1	7	4	8	3	9	6
3	4	7	6	1	9	8	2	5
9	5	2	3	6	1	4	7	8
1	3	6	4	8	7	2	5	9
8	7	4	2	9	5	6	3	1
2	9	8	1	7	4	5	6	3
7	1	5	8	3	6	9	4	2
4	6	3	9	5	2	1	8	7

310

7	6	1	8	2	4	9	5	3
4	8	9	3	6	5	2	1	7
2	3	5	7	9	1	6	4	8
5	2	7	6	4	3	8	9	1
1	4	3	9	5	8	7	2	6
6	9	8	2	1	7	4	3	5
9	7	6	5	3	2	1	8	4
8	5	4	1	7	9	3	6	2
3	1	2	4	8	6	5	7	9

311

6	1	7	5	9	8	2	4	3
3	2	4	1	7	6	9	5	8
8	5	9	4	3	2	7	6	1
4	7	3	2	1	9	5	8	6
2	6	8	3	5	4	1	9	7
1	9	5	6	8	7	4	3	2
9	3	2	8	4	1	6	7	5
7	8	6	9	2	5	3	1	4
5	4	1	7	6	3	8	2	9

312

1	2	3	9	6	4	8	7	5
7	8	6	3	5	2	4	1	9
9	4	5	1	7	8	3	6	2
5	1	2	7	8	6	9	4	3
8	6	4	5	9	3	1	2	7
3	9	7	2	4	1	5	8	6
6	5	1	8	3	7	2	9	4
2	7	9	4	1	5	6	3	8
4	3	8	6	2	9	7	5	1

313

7	6	9	1	8	4	2	5	3
3	2	1	7	6	5	4	9	8
5	4	8	3	2	9	1	7	6
8	7	5	2	9	6	3	1	4
2	3	4	5	1	7	6	8	9
1	9	6	4	3	8	7	2	5
4	8	3	9	7	2	5	6	1
6	5	2	8	4	1	9	3	7
9	1	7	6	5	3	8	4	2

314

7	9	2	4	1	3	6	8	5
5	6	1	7	9	8	2	3	4
8	3	4	6	5	2	1	7	9
4	2	6	9	7	5	8	1	3
3	5	8	2	6	1	4	9	7
9	1	7	3	8	4	5	6	2
6	4	5	8	3	7	9	2	1
2	7	9	1	4	6	3	5	8
1	8	3	5	2	9	7	4	6

315

3	9	4	6	2	5	8	7	1
7	6	5	1	8	3	2	4	9
2	1	8	9	4	7	3	6	5
6	3	1	7	5	2	4	9	8
5	4	7	8	6	9	1	2	3
9	8	2	4	3	1	7	5	6
4	7	9	3	1	6	5	8	2
8	5	3	2	9	4	6	1	7
1	2	6	5	7	8	9	3	4

316

8	2	4	6	5	3	7	9	1
5	9	3	1	7	8	6	2	4
6	1	7	2	4	9	8	5	3
2	3	9	7	6	1	5	4	8
7	4	6	8	9	5	3	1	2
1	5	8	4	3	2	9	7	6
4	8	5	3	1	7	2	6	9
3	7	1	9	2	6	4	8	5
9	6	2	5	8	4	1	3	7

317

9	5	7	2	3	8	6	4	1
4	8	3	6	1	7	5	2	9
2	1	6	5	9	4	7	3	8
7	2	9	1	8	6	3	5	4
8	6	5	4	7	3	1	9	2
3	4	1	9	2	5	8	6	7
1	3	4	7	6	2	9	8	5
6	7	2	8	5	9	4	1	3
5	9	8	3	4	1	2	7	6

318

9	8	4	6	7	3	2	5	1
3	1	6	2	5	4	7	9	8
7	2	5	9	8	1	4	3	6
6	7	1	4	3	5	9	8	2
4	9	8	1	2	7	5	6	3
2	5	3	8	9	6	1	4	7
8	3	7	5	4	2	6	1	9
5	6	9	7	1	8	3	2	4
1	4	2	3	6	9	8	7	5

319

5	4	3	9	7	6	8	2	1
8	6	2	1	5	3	7	9	4
1	7	9	2	8	4	6	5	3
2	9	1	3	6	7	5	4	8
3	8	6	4	1	5	2	7	9
4	5	7	8	2	9	1	3	6
7	3	8	6	4	2	9	1	5
6	2	4	5	9	1	3	8	7
9	1	5	7	3	8	4	6	2

320

2	4	8	6	9	3	7	5	1
3	7	5	1	4	8	2	6	9
9	6	1	5	7	2	3	8	4
5	2	9	7	8	1	4	3	6
8	3	7	4	2	6	9	1	5
6	1	4	9	3	5	8	2	7
7	5	2	3	6	9	1	4	8
1	9	3	8	5	4	6	7	2
4	8	6	2	1	7	5	9	3

321

2	6	9	5	4	3	8	1	7
3	8	1	6	2	7	5	9	4
5	4	7	8	1	9	2	3	6
1	5	2	9	8	6	7	4	3
7	9	4	2	3	1	6	8	5
8	3	6	4	7	5	1	2	9
4	2	5	7	9	8	3	6	1
6	1	8	3	5	4	9	7	2
9	7	3	1	6	2	4	5	8

322

8	1	7	3	6	4	9	2	5
9	4	2	1	8	5	6	3	7
5	6	3	9	7	2	4	8	1
4	7	9	5	2	8	1	6	3
6	3	5	4	1	7	2	9	8
2	8	1	6	3	9	7	5	4
1	5	4	2	9	3	8	7	6
3	9	8	7	4	6	5	1	2
7	2	6	8	5	1	3	4	9

323

9	4	8	1	7	5	6	2	3
6	2	1	9	8	3	7	5	4
7	5	3	6	2	4	8	9	1
8	9	2	7	5	1	3	4	6
4	3	6	2	9	8	5	1	7
1	7	5	3	4	6	2	8	9
2	8	9	4	6	7	1	3	5
5	1	7	8	3	9	4	6	2
3	6	4	5	1	2	9	7	8

324

7	1	2	4	3	5	9	6	8
4	8	5	2	6	9	1	7	3
9	3	6	1	7	8	5	2	4
3	9	1	5	4	7	6	8	2
5	7	4	8	2	6	3	9	1
6	2	8	9	1	3	4	5	7
2	6	3	7	9	4	8	1	5
1	5	9	3	8	2	7	4	6
8	4	7	6	5	1	2	3	9

325

1	9	6	3	2	5	7	8	4
3	8	4	1	9	7	5	2	6
2	7	5	4	6	8	3	1	9
6	2	9	8	3	4	1	5	7
4	1	8	5	7	9	6	3	2
5	3	7	2	1	6	4	9	8
7	6	3	9	8	1	2	4	5
8	4	2	7	5	3	9	6	1
9	5	1	6	4	2	8	7	3

326

5	4	6	9	7	1	2	8	3
8	3	2	4	6	5	7	1	9
1	9	7	3	2	8	6	5	4
3	6	5	7	1	4	8	9	2
9	2	8	6	5	3	1	4	7
4	7	1	2	8	9	5	3	6
2	5	3	1	4	6	9	7	8
7	8	9	5	3	2	4	6	1
6	1	4	8	9	7	3	2	5

327

2	1	9	5	7	6	3	4	8
6	5	3	4	8	1	7	2	9
4	7	8	2	9	3	1	6	5
9	8	6	3	5	7	4	1	2
5	2	7	8	1	4	9	3	6
3	4	1	9	6	2	8	5	7
7	3	2	6	4	9	5	8	1
1	6	5	7	3	8	2	9	4
8	9	4	1	2	5	6	7	3

328

5	6	1	3	4	7	2	8	9
9	3	2	1	6	8	4	7	5
4	7	8	5	2	9	3	6	1
7	8	5	6	1	2	9	3	4
6	1	3	4	9	5	7	2	8
2	9	4	7	8	3	5	1	6
3	5	9	8	7	1	6	4	2
1	2	6	9	3	4	8	5	7
8	4	7	2	5	6	1	9	3

329

3	6	2	5	9	4	8	7	1
5	1	8	6	3	7	4	2	9
7	9	4	1	8	2	6	5	3
4	5	9	7	2	1	3	6	8
1	2	7	8	6	3	5	9	4
8	3	6	9	4	5	2	1	7
6	8	3	2	1	9	7	4	5
9	4	5	3	7	6	1	8	2
2	7	1	4	5	8	9	3	6

330

6	5	4	7	2	3	9	8	1
8	2	3	4	1	9	6	7	5
9	7	1	6	8	5	2	3	4
5	4	8	2	6	7	1	9	3
7	1	9	8	3	4	5	2	6
3	6	2	5	9	1	7	4	8
4	3	7	9	5	6	8	1	2
1	8	6	3	7	2	4	5	9
2	9	5	1	4	8	3	6	7

331

4	9	7	8	1	5	3	2	6
1	3	5	7	2	6	8	9	4
8	6	2	3	9	4	5	1	7
2	1	3	4	5	8	6	7	9
6	4	9	1	3	7	2	5	8
5	7	8	2	6	9	1	4	3
9	8	1	5	7	3	4	6	2
7	2	4	6	8	1	9	3	5
3	5	6	9	4	2	7	8	1

332

9	2	1	7	8	6	3	5	4
5	8	6	1	3	4	9	2	7
4	3	7	2	9	5	6	8	1
1	7	2	9	5	3	8	4	6
6	4	3	8	7	2	5	1	9
8	9	5	6	4	1	2	7	3
7	5	9	3	1	8	4	6	2
2	1	4	5	6	9	7	3	8
3	6	8	4	2	7	1	9	5

333

7	9	6	1	5	3	4	2	8
1	4	3	8	2	7	6	5	9
5	2	8	4	6	9	3	7	1
6	5	2	7	8	1	9	4	3
8	7	4	9	3	2	1	6	5
9	3	1	5	4	6	2	8	7
4	1	9	6	7	8	5	3	2
2	6	7	3	1	5	8	9	4
3	8	5	2	9	4	7	1	6

334

3	4	7	9	8	1	5	2	6
8	9	2	3	5	6	7	4	1
6	5	1	2	7	4	8	3	9
1	8	4	5	3	2	6	9	7
9	6	5	7	4	8	3	1	2
2	7	3	1	6	9	4	8	5
5	1	6	8	2	3	9	7	4
4	3	9	6	1	7	2	5	8
7	2	8	4	9	5	1	6	3

335

4	2	5	6	7	1	8	3	9
6	7	1	8	3	9	5	4	2
9	8	3	2	5	4	7	1	6
2	5	4	7	1	6	3	9	8
8	3	9	5	4	2	1	6	7
7	1	6	3	9	8	4	2	5
3	9	8	4	2	5	6	7	1
5	4	2	1	6	7	9	8	3
1	6	7	9	8	3	2	5	4

336

4	2	8	5	6	1	7	9	3
1	3	5	7	2	9	6	4	8
9	6	7	8	3	4	1	2	5
8	1	4	6	9	7	3	5	2
6	7	3	2	4	5	9	8	1
2	5	9	3	1	8	4	7	6
3	8	6	9	7	2	5	1	4
5	9	1	4	8	6	2	3	7
7	4	2	1	5	3	8	6	9

337

3	1	2	8	5	6	7	4	9
6	5	9	4	3	7	2	1	8
4	8	7	9	1	2	5	3	6
1	2	4	3	7	9	8	6	5
7	9	3	6	8	5	4	2	1
5	6	8	2	4	1	3	9	7
9	7	5	1	2	4	6	8	3
8	4	1	5	6	3	9	7	2
2	3	6	7	9	8	1	5	4

338

1	2	8	5	6	9	4	3	7
7	9	3	1	4	2	6	5	8
4	6	5	8	3	7	1	2	9
6	3	4	2	8	1	9	7	5
2	5	1	7	9	6	3	8	4
9	8	7	3	5	4	2	6	1
5	7	6	4	1	3	8	9	2
8	4	9	6	2	5	7	1	3
3	1	2	9	7	8	5	4	6

339

9	3	6	2	5	1	8	4	7
1	2	4	9	7	8	5	6	3
5	8	7	3	6	4	9	2	1
7	1	2	5	8	3	4	9	6
8	5	3	6	4	9	7	1	2
4	6	9	7	1	2	3	8	5
6	7	1	4	9	5	2	3	8
2	9	8	1	3	7	6	5	4
3	4	5	8	2	6	1	7	9

340

7	9	3	8	6	2	1	4	5
5	1	4	3	7	9	2	8	6
6	2	8	4	5	1	9	3	7
4	5	2	1	3	7	6	9	8
3	7	1	9	8	6	5	2	4
8	6	9	2	4	5	7	1	3
2	4	6	5	1	3	8	7	9
9	8	7	6	2	4	3	5	1
1	3	5	7	9	8	4	6	2

341

5	9	3	4	2	1	7	6	8
8	4	7	9	3	6	1	5	2
6	2	1	8	7	5	4	9	3
4	7	2	6	9	8	5	3	1
3	8	9	1	5	7	6	2	4
1	6	5	3	4	2	9	8	7
7	3	8	5	1	9	2	4	6
9	1	6	2	8	4	3	7	5
2	5	4	7	6	3	8	1	9

342

2	4	8	9	5	6	3	7	1
9	3	6	7	8	1	5	2	4
5	7	1	2	3	4	8	9	6
8	5	2	3	1	7	4	6	9
4	1	9	8	6	2	7	5	3
3	6	7	5	4	9	2	1	8
1	9	3	4	2	5	6	8	7
7	8	5	6	9	3	1	4	2
6	2	4	1	7	8	9	3	5

343

8	2	3	9	7	5	1	4	6
4	9	1	6	2	8	5	7	3
7	6	5	4	1	3	8	9	2
3	1	8	2	9	7	4	6	5
9	4	6	5	8	1	2	3	7
2	5	7	3	4	6	9	1	8
5	8	9	7	3	4	6	2	1
1	7	2	8	6	9	3	5	4
6	3	4	1	5	2	7	8	9

344

7	1	9	4	2	3	5	8	6
8	2	5	6	1	7	4	9	3
4	6	3	5	9	8	1	7	2
9	3	8	7	4	2	6	5	1
2	7	6	1	8	5	3	4	9
1	5	4	3	6	9	8	2	7
5	4	1	2	7	6	9	3	8
6	8	7	9	3	4	2	1	5
3	9	2	8	5	1	7	6	4

345

7	1	4	9	8	5	3	6	2
8	2	3	6	7	1	5	9	4
5	9	6	3	2	4	8	7	1
6	3	1	5	4	9	7	2	8
2	4	8	7	6	3	9	1	5
9	7	5	8	1	2	6	4	3
4	6	9	2	5	8	1	3	7
1	8	7	4	3	6	2	5	9
3	5	2	1	9	7	4	8	6

346

8	1	9	7	5	2	3	4	6
5	4	7	9	3	6	2	1	8
3	2	6	1	4	8	7	5	9
4	5	8	6	1	3	9	2	7
2	7	3	5	8	9	4	6	1
6	9	1	4	2	7	5	8	3
9	3	5	2	6	1	8	7	4
7	6	4	8	9	5	1	3	2
1	8	2	3	7	4	6	9	5

347

5	9	3	8	2	6	4	1	7
4	2	6	7	1	9	8	3	5
7	8	1	4	5	3	9	2	6
6	5	2	9	7	1	3	8	4
8	3	4	2	6	5	1	7	9
1	7	9	3	4	8	6	5	2
2	6	5	1	3	4	7	9	8
3	4	8	5	9	7	2	6	1
9	1	7	6	8	2	5	4	3

348

4	3	5	9	2	6	7	8	1
9	7	8	5	3	1	6	4	2
6	2	1	8	7	4	5	9	3
1	6	3	4	8	2	9	7	5
2	9	4	7	1	5	8	3	6
8	5	7	6	9	3	1	2	4
5	4	9	3	6	8	2	1	7
3	8	2	1	5	7	4	6	9
7	1	6	2	4	9	3	5	8

349

9	2	8	3	6	4	1	5	7
3	7	1	9	5	8	2	4	6
6	5	4	1	7	2	3	8	9
8	9	5	4	1	7	6	3	2
4	1	7	6	2	3	5	9	8
2	3	6	5	8	9	7	1	4
5	4	9	2	3	6	8	7	1
1	8	2	7	9	5	4	6	3
7	6	3	8	4	1	9	2	5

350

8	4	2	9	5	6	7	3	1
5	3	9	8	7	1	6	4	2
6	1	7	3	2	4	8	5	9
4	9	3	1	6	7	5	2	8
7	2	6	5	3	8	9	1	4
1	5	8	4	9	2	3	7	6
2	8	5	7	1	9	4	6	3
9	7	1	6	4	3	2	8	5
3	6	4	2	8	5	1	9	7

351

3	5	4	9	1	7	8	2	6
1	9	8	6	2	3	5	7	4
7	6	2	8	4	5	3	1	9
4	1	3	2	6	9	7	8	5
2	7	5	3	8	4	9	6	1
9	8	6	5	7	1	2	4	3
6	3	7	4	9	8	1	5	2
5	2	1	7	3	6	4	9	8
8	4	9	1	5	2	6	3	7

352

9	1	6	4	2	5	7	3	8
4	2	8	3	9	7	5	1	6
7	3	5	6	1	8	4	2	9
8	7	9	1	5	3	6	4	2
1	5	4	8	6	2	9	7	3
2	6	3	7	4	9	1	8	5
5	4	1	2	8	6	3	9	7
3	9	2	5	7	1	8	6	4
6	8	7	9	3	4	2	5	1

353

9	4	5	7	8	3	6	1	2
2	6	3	1	5	4	7	9	8
1	8	7	6	2	9	3	5	4
3	1	2	8	4	7	5	6	9
4	7	6	9	3	5	8	2	1
5	9	8	2	1	6	4	7	3
8	5	9	3	7	1	2	4	6
6	2	4	5	9	8	1	3	7
7	3	1	4	6	2	9	8	5

354

1	8	3	6	2	7	4	5	9
2	4	7	9	1	5	8	3	6
6	9	5	8	4	3	7	1	2
5	1	9	7	3	6	2	4	8
3	2	4	1	9	8	6	7	5
7	6	8	4	5	2	3	9	1
9	7	1	2	6	4	5	8	3
4	5	2	3	8	9	1	6	7
8	3	6	5	7	1	9	2	4

355

3	8	1	4	6	5	7	2	9
6	7	4	8	2	9	1	3	5
5	9	2	3	1	7	8	4	6
7	2	9	5	8	6	3	1	4
4	6	5	1	7	3	9	8	2
8	1	3	9	4	2	6	5	7
9	3	6	2	5	8	4	7	1
1	5	7	6	3	4	2	9	8
2	4	8	7	9	1	5	6	3

356

6	9	3	5	1	7	4	8	2
4	5	8	3	2	9	6	1	7
1	2	7	6	4	8	9	5	3
5	7	6	9	8	4	2	3	1
8	1	9	2	7	3	5	6	4
3	4	2	1	6	5	8	7	9
9	8	1	4	3	6	7	2	5
2	6	4	7	5	1	3	9	8
7	3	5	8	9	2	1	4	6

357

8	3	4	2	5	7	6	1	9
1	7	6	4	9	3	8	2	5
2	5	9	8	1	6	7	3	4
9	1	5	3	8	4	2	6	7
4	2	3	6	7	5	9	8	1
6	8	7	1	2	9	4	5	3
5	6	2	9	4	1	3	7	8
7	9	8	5	3	2	1	4	6
3	4	1	7	6	8	5	9	2

358

2	3	8	9	6	5	4	1	7
4	9	7	3	2	1	6	5	8
1	5	6	4	8	7	3	9	2
6	7	3	2	5	9	1	8	4
9	2	5	8	1	4	7	3	6
8	4	1	6	7	3	9	2	5
3	6	4	5	9	8	2	7	1
5	1	2	7	3	6	8	4	9
7	8	9	1	4	2	5	6	3

359

6	7	3	5	1	9	4	8	2
1	4	9	2	3	8	5	6	7
5	8	2	6	7	4	9	1	3
3	1	7	8	5	2	6	9	4
2	6	8	9	4	7	3	5	1
9	5	4	1	6	3	2	7	8
8	2	1	4	9	5	7	3	6
4	3	5	7	8	6	1	2	9
7	9	6	3	2	1	8	4	5

360

4	5	9	2	8	1	7	6	3
7	6	2	4	3	9	5	8	1
3	8	1	5	7	6	4	9	2
1	2	8	9	4	7	3	5	6
6	7	5	1	2	3	8	4	9
9	3	4	6	5	8	1	2	7
2	4	3	7	6	5	9	1	8
8	1	6	3	9	4	2	7	5
5	9	7	8	1	2	6	3	4

361

9	5	3	6	7	1	8	2	4
7	2	8	3	4	9	1	5	6
1	4	6	8	2	5	7	9	3
4	3	9	5	6	8	2	1	7
2	6	7	1	9	4	5	3	8
5	8	1	2	3	7	6	4	9
6	1	5	4	8	3	9	7	2
3	7	2	9	1	6	4	8	5
8	9	4	7	5	2	3	6	1

362

5	7	2	3	6	9	1	8	4
1	9	4	8	2	5	3	6	7
8	6	3	1	4	7	5	2	9
2	3	8	6	9	1	7	4	5
4	5	9	2	7	3	8	1	6
6	1	7	4	5	8	9	3	2
7	4	1	9	3	6	2	5	8
9	8	6	5	1	2	4	7	3
3	2	5	7	8	4	6	9	1

363

6	9	2	7	4	3	8	1	5
3	5	8	2	9	1	4	6	7
7	4	1	5	6	8	2	9	3
5	8	3	1	7	4	6	2	9
2	6	9	3	8	5	7	4	1
4	1	7	6	2	9	3	5	8
9	3	4	8	5	6	1	7	2
1	7	6	9	3	2	5	8	4
8	2	5	4	1	7	9	3	6

364

1	5	2	9	7	4	6	3	8
9	6	4	8	3	1	7	5	2
3	7	8	2	5	6	1	4	9
8	3	5	1	4	7	9	2	6
7	2	6	5	9	8	4	1	3
4	1	9	3	6	2	8	7	5
2	9	1	7	8	3	5	6	4
5	4	7	6	2	9	3	8	1
6	8	3	4	1	5	2	9	7

365

4	9	6	5	3	8	7	1	2
1	5	7	4	9	2	3	6	8
2	8	3	7	1	6	5	9	4
9	1	4	6	5	7	8	2	3
3	6	8	2	4	1	9	7	5
7	2	5	9	8	3	6	4	1
5	7	1	3	2	9	4	8	6
6	4	2	8	7	5	1	3	9
8	3	9	1	6	4	2	5	7

366

2	5	7	1	8	9	4	3	6
4	1	8	2	3	6	7	5	9
6	9	3	4	5	7	2	1	8
7	6	5	8	9	3	1	4	2
8	2	9	5	4	1	3	6	7
3	4	1	7	6	2	9	8	5
9	8	2	6	1	4	5	7	3
5	3	4	9	7	8	6	2	1
1	7	6	3	2	5	8	9	4

367

2	3	9	6	8	5	4	1	7
1	8	7	3	9	4	2	6	5
6	5	4	1	2	7	9	3	8
8	9	5	4	6	3	1	7	2
3	4	1	5	7	2	6	8	9
7	6	2	9	1	8	3	5	4
4	2	3	7	5	6	8	9	1
9	7	8	2	3	1	5	4	6
5	1	6	8	4	9	7	2	3

368

6	1	5	8	2	7	9	4	3
2	9	4	6	3	1	7	8	5
8	3	7	4	5	9	1	6	2
9	2	3	7	8	5	6	1	4
1	4	8	9	6	2	3	5	7
7	5	6	1	4	3	8	2	9
5	8	1	3	9	4	2	7	6
4	6	9	2	7	8	5	3	1
3	7	2	5	1	6	4	9	8

369

2	9	6	7	8	4	1	5	3
7	5	1	6	3	2	8	9	4
8	3	4	9	1	5	7	2	6
9	7	3	5	2	6	4	8	1
4	8	5	3	9	1	2	6	7
1	6	2	8	4	7	5	3	9
3	1	8	4	5	9	6	7	2
6	2	9	1	7	8	3	4	5
5	4	7	2	6	3	9	1	8

370

8	4	1	9	3	6	5	2	7
9	7	2	5	4	1	3	6	8
6	3	5	8	2	7	1	9	4
4	6	8	2	5	3	9	7	1
5	2	7	1	9	4	6	8	3
3	1	9	6	7	8	2	4	5
1	8	3	4	6	2	7	5	9
7	9	6	3	8	5	4	1	2
2	5	4	7	1	9	8	3	6

371

1	8	5	9	3	4	2	7	6
4	7	9	2	1	6	8	5	3
6	3	2	8	5	7	1	4	9
7	2	6	1	9	5	4	3	8
8	5	1	3	4	2	9	6	7
3	9	4	6	7	8	5	1	2
5	1	8	7	2	3	6	9	4
2	4	3	5	6	9	7	8	1
9	6	7	4	8	1	3	2	5

372

5	9	6	4	7	2	1	3	8
4	1	8	3	6	9	2	7	5
2	3	7	1	8	5	6	9	4
3	6	1	5	2	4	7	8	9
8	5	4	6	9	7	3	1	2
9	7	2	8	1	3	4	5	6
6	8	5	7	4	1	9	2	3
7	2	3	9	5	6	8	4	1
1	4	9	2	3	8	5	6	7

373

5	4	8	1	3	9	2	7	6
3	9	7	8	2	6	4	5	1
6	1	2	4	7	5	3	9	8
9	8	3	5	1	2	7	6	4
4	2	1	7	6	3	5	8	9
7	6	5	9	8	4	1	2	3
1	7	6	3	5	8	9	4	2
2	3	4	6	9	7	8	1	5
8	5	9	2	4	1	6	3	7

374

5	7	8	3	9	1	4	2	6
9	4	3	7	6	2	1	8	5
6	1	2	4	5	8	3	7	9
2	6	7	5	3	9	8	4	1
3	8	4	6	1	7	5	9	2
1	5	9	2	8	4	6	3	7
8	2	1	9	4	5	7	6	3
7	3	5	8	2	6	9	1	4
4	9	6	1	7	3	2	5	8

375

6	2	9	8	5	4	1	3	7
8	5	7	2	1	3	6	4	9
1	4	3	6	9	7	5	8	2
9	6	1	3	7	8	2	5	4
5	8	4	1	2	6	7	9	3
3	7	2	5	4	9	8	1	6
2	1	6	4	3	5	9	7	8
7	3	5	9	8	2	4	6	1
4	9	8	7	6	1	3	2	5

376

7	1	2	6	3	8	9	5	4
5	8	4	2	7	9	3	1	6
3	6	9	1	5	4	2	8	7
6	2	3	9	4	5	1	7	8
8	5	1	3	2	7	4	6	9
4	9	7	8	6	1	5	2	3
1	7	5	4	8	3	6	9	2
9	3	6	7	1	2	8	4	5
2	4	8	5	9	6	7	3	1

377

3	7	4	2	5	9	6	1	8
8	2	6	1	4	3	7	9	5
9	1	5	8	6	7	2	4	3
5	6	3	9	7	4	1	8	2
4	8	7	6	1	2	3	5	9
2	9	1	5	3	8	4	7	6
7	5	2	4	8	6	9	3	1
6	3	8	7	9	1	5	2	4
1	4	9	3	2	5	8	6	7

378

3	7	4	5	8	9	1	2	6
9	6	2	4	7	1	3	8	5
5	8	1	2	3	6	7	4	9
8	5	7	1	9	3	2	6	4
6	2	3	7	4	5	8	9	1
4	1	9	8	6	2	5	7	3
2	4	5	9	1	7	6	3	8
7	3	8	6	5	4	9	1	2
1	9	6	3	2	8	4	5	7

379

5	7	2	9	6	1	3	4	8
6	9	1	4	3	8	5	7	2
3	8	4	2	5	7	6	1	9
8	1	5	6	9	3	7	2	4
9	2	3	1	7	4	8	5	6
4	6	7	5	8	2	1	9	3
2	4	8	7	1	6	9	3	5
7	5	6	3	4	9	2	8	1
1	3	9	8	2	5	4	6	7

380

7	1	4	8	9	2	5	3	6
3	8	5	7	6	4	9	2	1
2	9	6	5	1	3	8	4	7
5	3	7	9	2	1	6	8	4
8	4	9	6	5	7	2	1	3
6	2	1	4	3	8	7	5	9
9	6	8	1	4	5	3	7	2
1	7	2	3	8	6	4	9	5
4	5	3	2	7	9	1	6	8

381

7	4	6	3	2	9	1	5	8
9	3	2	5	8	1	4	6	7
8	5	1	6	7	4	2	9	3
5	1	4	9	6	8	3	7	2
6	8	7	2	5	3	9	4	1
3	2	9	4	1	7	6	8	5
2	6	3	8	9	5	7	1	4
1	9	8	7	4	2	5	3	6
4	7	5	1	3	6	8	2	9

382

5	7	4	3	9	8	6	2	1
3	1	2	5	7	6	8	4	9
9	8	6	1	2	4	7	3	5
7	2	5	4	8	3	9	1	6
4	6	8	9	1	5	3	7	2
1	3	9	7	6	2	4	5	8
2	9	7	6	4	1	5	8	3
8	4	3	2	5	9	1	6	7
6	5	1	8	3	7	2	9	4

383

1	7	4	8	9	3	2	6	5
3	2	5	7	6	4	8	1	9
8	9	6	1	5	2	7	4	3
7	3	9	5	2	1	4	8	6
4	8	2	6	3	9	5	7	1
6	5	1	4	8	7	9	3	2
2	4	8	9	1	6	3	5	7
5	6	3	2	7	8	1	9	4
9	1	7	3	4	5	6	2	8

384

3	8	7	1	2	6	9	4	5
2	9	5	4	8	7	1	3	6
1	4	6	5	9	3	2	7	8
7	2	1	3	5	9	8	6	4
6	3	9	8	4	2	5	1	7
4	5	8	6	7	1	3	2	9
9	6	4	2	3	8	7	5	1
5	7	2	9	1	4	6	8	3
8	1	3	7	6	5	4	9	2

385

4	2	5	7	6	3	8	1	9
6	8	7	1	9	2	3	4	5
3	9	1	8	5	4	6	2	7
5	7	6	4	3	1	2	9	8
2	1	9	5	8	7	4	6	3
8	3	4	9	2	6	7	5	1
9	4	3	6	1	8	5	7	2
1	6	2	3	7	5	9	8	4
7	5	8	2	4	9	1	3	6

386

3	4	9	1	2	8	5	7	6
6	5	8	3	4	7	9	2	1
7	2	1	9	6	5	3	8	4
2	8	7	6	5	3	4	1	9
4	6	5	7	9	1	2	3	8
1	9	3	2	8	4	6	5	7
8	1	6	5	3	9	7	4	2
9	3	4	8	7	2	1	6	5
5	7	2	4	1	6	8	9	3

387

2	1	7	6	9	5	4	3	8
8	6	4	3	7	1	9	5	2
5	3	9	2	4	8	1	7	6
1	5	3	4	2	6	8	9	7
6	9	2	5	8	7	3	1	4
7	4	8	1	3	9	6	2	5
9	7	5	8	6	3	2	4	1
3	2	6	7	1	4	5	8	9
4	8	1	9	5	2	7	6	3

388

3	8	1	7	9	6	4	5	2
5	9	2	4	1	8	3	6	7
6	7	4	2	3	5	1	8	9
2	6	3	9	5	1	8	7	4
8	4	5	3	2	7	6	9	1
9	1	7	8	6	4	5	2	3
4	3	8	6	7	2	9	1	5
1	2	9	5	8	3	7	4	6
7	5	6	1	4	9	2	3	8

389

9	4	7	2	8	1	5	6	3
6	8	5	3	7	9	1	2	4
1	2	3	5	4	6	8	9	7
5	7	2	1	6	3	4	8	9
4	6	9	8	5	2	7	3	1
3	1	8	7	9	4	2	5	6
2	9	6	4	1	5	3	7	8
8	3	4	9	2	7	6	1	5
7	5	1	6	3	8	9	4	2

390

4	2	5	1	6	8	9	7	3
6	9	7	5	4	3	8	1	2
3	1	8	9	7	2	5	4	6
7	5	6	8	2	9	4	3	1
2	4	1	6	3	5	7	9	8
8	3	9	4	1	7	6	2	5
5	6	3	7	9	1	2	8	4
9	8	2	3	5	4	1	6	7
1	7	4	2	8	6	3	5	9

391

6	2	7	9	8	1	4	5	3
3	1	5	6	4	7	8	9	2
4	9	8	3	5	2	1	6	7
9	7	4	8	2	6	5	3	1
1	3	6	5	9	4	2	7	8
8	5	2	7	1	3	6	4	9
5	4	9	2	7	8	3	1	6
7	8	3	1	6	5	9	2	4
2	6	1	4	3	9	7	8	5

392

7	6	1	9	8	4	2	5	3
3	8	2	7	1	5	4	6	9
9	4	5	3	2	6	7	1	8
1	7	9	4	3	8	6	2	5
4	2	3	5	6	9	8	7	1
8	5	6	2	7	1	9	3	4
5	3	4	6	9	2	1	8	7
6	1	7	8	4	3	5	9	2
2	9	8	1	5	7	3	4	6

393

8	6	2	9	7	4	3	5	1
5	1	9	2	6	3	7	8	4
3	7	4	8	5	1	9	2	6
1	4	6	5	9	7	8	3	2
2	8	5	1	3	6	4	9	7
9	3	7	4	8	2	1	6	5
4	5	8	7	2	9	6	1	3
6	9	1	3	4	5	2	7	8
7	2	3	6	1	8	5	4	9

394

6	3	8	5	9	4	1	7	2
2	9	5	7	8	1	4	6	3
7	1	4	6	3	2	5	9	8
4	2	6	9	1	7	8	3	5
8	7	1	3	6	5	2	4	9
3	5	9	2	4	8	6	1	7
9	8	3	1	5	6	7	2	4
5	6	7	4	2	3	9	8	1
1	4	2	8	7	9	3	5	6

395

1	5	3	7	9	4	8	6	2
8	6	2	5	3	1	9	7	4
7	4	9	2	6	8	3	5	1
6	2	8	9	5	7	1	4	3
3	9	4	8	1	6	5	2	7
5	7	1	3	4	2	6	8	9
9	1	7	4	8	5	2	3	6
2	3	5	6	7	9	4	1	8
4	8	6	1	2	3	7	9	5

396

8	1	4	3	6	9	7	2	5
6	7	9	1	5	2	3	8	4
3	5	2	8	4	7	1	6	9
7	9	3	6	1	4	8	5	2
1	8	6	2	7	5	9	4	3
4	2	5	9	3	8	6	1	7
5	3	8	7	2	6	4	9	1
2	6	1	4	9	3	5	7	8
9	4	7	5	8	1	2	3	6

397

4	9	5	8	6	3	1	7	2
6	2	3	7	5	1	4	8	9
7	8	1	2	9	4	3	5	6
8	6	2	5	3	7	9	4	1
5	4	9	1	8	2	7	6	3
1	3	7	9	4	6	5	2	8
2	1	6	3	7	5	8	9	4
3	7	8	4	2	9	6	1	5
9	5	4	6	1	8	2	3	7

398

5	2	8	1	6	3	7	9	4
3	7	1	8	4	9	6	2	5
6	4	9	2	7	5	8	3	1
7	6	4	9	5	8	2	1	3
2	9	3	4	1	7	5	6	8
8	1	5	3	2	6	9	4	7
4	3	7	6	8	2	1	5	9
9	8	6	5	3	1	4	7	2
1	5	2	7	9	4	3	8	6

399

7	9	3	1	8	2	5	6	4
1	8	6	5	4	3	9	7	2
4	2	5	9	6	7	3	1	8
6	3	2	7	9	5	8	4	1
5	1	8	4	3	6	7	2	9
9	4	7	2	1	8	6	3	5
3	7	9	8	2	4	1	5	6
8	6	4	3	5	1	2	9	7
2	5	1	6	7	9	4	8	3

400

6	1	9	7	5	3	4	2	8
2	7	5	8	4	6	1	3	9
4	8	3	2	1	9	7	5	6
7	5	1	9	3	8	2	6	4
8	4	6	1	2	7	3	9	5
3	9	2	4	6	5	8	7	1
9	3	4	5	8	2	6	1	7
5	6	8	3	7	1	9	4	2
1	2	7	6	9	4	5	8	3

401

1	4	3	9	7	8	2	5	6
6	7	2	3	5	4	8	9	1
9	8	5	1	6	2	4	3	7
3	5	6	2	4	1	9	7	8
8	2	1	7	9	3	5	6	4
7	9	4	5	8	6	3	1	2
5	6	9	8	2	7	1	4	3
4	3	8	6	1	5	7	2	9
2	1	7	4	3	9	6	8	5

402

4	3	6	8	9	2	5	7	1
7	2	1	6	4	5	3	9	8
8	5	9	3	1	7	2	6	4
3	4	8	5	7	6	1	2	9
9	6	5	2	3	1	4	8	7
1	7	2	9	8	4	6	5	3
2	9	4	7	6	3	8	1	5
6	1	7	4	5	8	9	3	2
5	8	3	1	2	9	7	4	6

403

5	7	3	6	1	9	8	4	2
6	2	8	4	3	7	9	5	1
9	4	1	5	8	2	3	7	6
3	1	7	9	6	8	5	2	4
8	5	4	2	7	1	6	3	9
2	9	6	3	4	5	7	1	8
7	3	9	8	2	4	1	6	5
1	8	2	7	5	6	4	9	3
4	6	5	1	9	3	2	8	7

404

8	6	2	7	5	9	4	3	1
5	3	7	8	1	4	2	9	6
9	4	1	3	6	2	7	8	5
3	7	8	4	9	6	1	5	2
2	1	4	5	3	8	6	7	9
6	9	5	1	2	7	8	4	3
1	8	6	9	4	3	5	2	7
7	5	9	2	8	1	3	6	4
4	2	3	6	7	5	9	1	8

405

9	3	8	1	4	6	5	2	7
6	7	2	5	3	8	1	4	9
4	1	5	9	2	7	8	3	6
3	9	6	4	1	5	2	7	8
7	5	1	3	8	2	6	9	4
8	2	4	6	7	9	3	1	5
2	6	3	7	5	4	9	8	1
1	4	9	8	6	3	7	5	2
5	8	7	2	9	1	4	6	3

406

1	5	7	6	4	9	3	2	8
3	9	6	8	2	7	1	4	5
4	8	2	5	3	1	6	7	9
7	1	4	9	5	2	8	6	3
2	3	9	7	6	8	5	1	4
5	6	8	4	1	3	2	9	7
8	2	1	3	7	4	9	5	6
6	4	3	2	9	5	7	8	1
9	7	5	1	8	6	4	3	2

407

3	5	4	6	7	8	1	9	2
6	1	7	4	9	2	8	3	5
2	9	8	3	5	1	7	6	4
7	4	3	2	8	6	5	1	9
8	2	9	1	3	5	6	4	7
5	6	1	7	4	9	3	2	8
4	8	5	9	1	3	2	7	6
1	7	2	8	6	4	9	5	3
9	3	6	5	2	7	4	8	1

408

7	5	9	1	4	8	3	6	2
6	3	4	2	7	9	8	1	5
2	8	1	6	5	3	9	4	7
5	6	8	4	3	7	1	2	9
3	9	2	5	6	1	4	7	8
1	4	7	9	8	2	6	5	3
9	2	5	8	1	6	7	3	4
4	7	6	3	9	5	2	8	1
8	1	3	7	2	4	5	9	6

409

1	5	6	8	7	3	9	4	2
7	3	4	6	2	9	8	5	1
2	9	8	5	1	4	3	6	7
3	8	7	2	5	1	6	9	4
5	6	9	7	4	8	1	2	3
4	1	2	3	9	6	5	7	8
6	7	1	4	8	5	2	3	9
9	4	3	1	6	2	7	8	5
8	2	5	9	3	7	4	1	6

410

8	7	2	4	9	1	5	6	3
6	1	5	3	2	8	9	7	4
4	3	9	7	5	6	2	8	1
9	2	1	6	8	3	7	4	5
3	8	4	5	1	7	6	9	2
7	5	6	2	4	9	1	3	8
2	4	7	8	6	5	3	1	9
1	6	8	9	3	2	4	5	7
5	9	3	1	7	4	8	2	6

411

2	1	4	9	5	6	8	3	7
8	5	3	1	7	4	9	6	2
6	9	7	8	3	2	4	1	5
3	7	5	2	1	8	6	9	4
9	4	8	7	6	3	5	2	1
1	2	6	5	4	9	3	7	8
5	8	2	6	9	1	7	4	3
7	3	9	4	2	5	1	8	6
4	6	1	3	8	7	2	5	9

412

2	5	1	3	8	7	4	6	9
3	4	7	2	6	9	1	5	8
6	9	8	1	4	5	3	7	2
8	3	9	6	7	4	2	1	5
1	7	2	5	3	8	9	4	6
4	6	5	9	2	1	8	3	7
9	2	4	7	1	6	5	8	3
7	1	3	8	5	2	6	9	4
5	8	6	4	9	3	7	2	1

413

2	6	9	3	1	5	7	4	8
8	3	4	9	7	6	1	5	2
1	7	5	4	2	8	9	6	3
7	4	8	1	5	3	2	9	6
9	1	6	7	8	2	5	3	4
5	2	3	6	9	4	8	1	7
6	5	7	8	3	1	4	2	9
4	9	2	5	6	7	3	8	1
3	8	1	2	4	9	6	7	5

414

1	7	8	6	9	3	4	5	2
2	9	3	4	5	7	6	1	8
4	6	5	2	8	1	9	3	7
8	2	7	1	6	4	5	9	3
9	4	6	3	7	5	2	8	1
5	3	1	9	2	8	7	4	6
7	8	4	5	3	6	1	2	9
3	5	2	7	1	9	8	6	4
6	1	9	8	4	2	3	7	5

415

5	1	8	6	3	9	2	7	4
7	6	2	8	1	4	3	9	5
9	4	3	2	7	5	6	8	1
4	2	9	7	5	1	8	6	3
6	7	1	3	8	2	4	5	9
3	8	5	4	9	6	7	1	2
8	5	7	1	2	3	9	4	6
2	9	6	5	4	8	1	3	7
1	3	4	9	6	7	5	2	8

416

8	6	5	2	4	9	1	7	3
4	2	1	3	8	7	6	9	5
9	7	3	6	1	5	8	2	4
1	8	9	5	3	2	7	4	6
5	4	7	9	6	1	2	3	8
6	3	2	8	7	4	5	1	9
7	5	4	1	9	6	3	8	2
2	1	8	4	5	3	9	6	7
3	9	6	7	2	8	4	5	1

417

4	2	1	8	3	7	9	5	6
8	3	6	9	4	5	2	1	7
5	7	9	6	1	2	3	4	8
1	4	3	5	7	9	8	6	2
9	5	2	1	6	8	7	3	4
6	8	7	4	2	3	1	9	5
3	9	5	7	8	6	4	2	1
7	6	4	2	9	1	5	8	3
2	1	8	3	5	4	6	7	9

418

7	2	1	3	4	6	8	5	9
5	6	4	7	8	9	3	2	1
8	9	3	1	2	5	7	6	4
6	1	7	8	3	4	2	9	5
4	8	5	6	9	2	1	7	3
9	3	2	5	1	7	6	4	8
2	7	8	4	5	1	9	3	6
1	5	6	9	7	3	4	8	2
3	4	9	2	6	8	5	1	7

419

6	3	7	8	2	5	1	9	4
4	8	2	1	9	7	3	6	5
9	5	1	6	3	4	7	2	8
1	6	5	2	7	3	4	8	9
2	4	8	9	5	1	6	3	7
7	9	3	4	6	8	5	1	2
5	7	6	3	8	9	2	4	1
3	1	9	7	4	2	8	5	6
8	2	4	5	1	6	9	7	3

420

5	1	4	2	7	6	8	3	9
8	9	2	1	5	3	7	6	4
6	7	3	8	9	4	1	5	2
9	8	6	7	4	5	3	2	1
7	3	1	9	2	8	5	4	6
4	2	5	6	3	1	9	7	8
2	6	9	3	1	7	4	8	5
3	5	8	4	6	9	2	1	7
1	4	7	5	8	2	6	9	3

421

9	5	7	1	8	6	2	3	4
1	8	4	3	2	5	9	7	6
6	2	3	9	4	7	5	8	1
4	1	6	5	3	2	8	9	7
7	9	5	8	6	4	3	1	2
2	3	8	7	9	1	6	4	5
3	4	1	2	5	8	7	6	9
8	6	2	4	7	9	1	5	3
5	7	9	6	1	3	4	2	8

422

5	8	7	6	1	4	3	2	9
1	3	4	2	5	9	7	6	8
6	2	9	7	3	8	5	1	4
9	7	2	1	4	5	8	3	6
8	1	6	3	2	7	9	4	5
4	5	3	8	9	6	1	7	2
7	4	5	9	6	3	2	8	1
3	6	1	5	8	2	4	9	7
2	9	8	4	7	1	6	5	3

423

1	8	7	6	5	2	9	4	3
3	4	6	7	1	9	5	8	2
5	2	9	4	3	8	6	1	7
2	3	8	9	7	6	4	5	1
9	6	5	1	4	3	7	2	8
7	1	4	8	2	5	3	6	9
8	7	1	3	6	4	2	9	5
4	9	2	5	8	7	1	3	6
6	5	3	2	9	1	8	7	4

424

2	6	7	3	9	4	8	1	5
1	4	5	8	6	7	3	9	2
3	8	9	2	5	1	6	7	4
9	7	1	6	2	5	4	3	8
6	3	8	7	4	9	2	5	1
5	2	4	1	8	3	9	6	7
4	5	3	9	7	8	1	2	6
8	1	6	5	3	2	7	4	9
7	9	2	4	1	6	5	8	3

425

5	4	6	2	1	9	3	7	8
3	8	9	7	6	4	1	2	5
2	1	7	5	8	3	4	6	9
8	9	5	3	7	2	6	1	4
6	7	2	4	9	1	8	5	3
1	3	4	6	5	8	2	9	7
9	2	8	1	4	7	5	3	6
7	6	3	8	2	5	9	4	1
4	5	1	9	3	6	7	8	2

426

9	8	3	2	5	7	1	6	4
2	4	6	1	8	3	9	5	7
1	7	5	6	4	9	8	2	3
5	9	1	7	2	6	3	4	8
7	2	4	3	9	8	6	1	5
6	3	8	5	1	4	7	9	2
4	1	7	9	3	5	2	8	6
8	6	9	4	7	2	5	3	1
3	5	2	8	6	1	4	7	9

427

1	4	7	9	3	8	2	6	5
6	3	5	4	7	2	1	9	8
9	8	2	6	1	5	7	4	3
5	9	1	7	6	3	4	8	2
4	2	6	8	5	1	9	3	7
3	7	8	2	9	4	6	5	1
2	1	4	5	8	9	3	7	6
7	5	3	1	4	6	8	2	9
8	6	9	3	2	7	5	1	4

428

4	9	5	6	7	1	8	2	3
8	1	2	4	5	3	7	6	9
3	6	7	8	9	2	4	1	5
5	7	6	3	1	9	2	4	8
9	2	8	5	4	6	1	3	7
1	4	3	7	2	8	5	9	6
6	8	4	1	3	5	9	7	2
7	5	9	2	6	4	3	8	1
2	3	1	9	8	7	6	5	4

429

8	6	7	9	5	3	4	1	2
3	4	5	8	2	1	9	7	6
1	2	9	4	6	7	3	8	5
9	1	6	7	4	8	2	5	3
5	7	4	6	3	2	8	9	1
2	8	3	1	9	5	7	6	4
7	3	2	5	8	6	1	4	9
6	9	1	2	7	4	5	3	8
4	5	8	3	1	9	6	2	7

430

4	3	7	5	9	6	8	1	2
1	5	8	2	4	7	3	6	9
2	9	6	1	8	3	7	4	5
8	6	2	3	1	5	4	9	7
3	4	9	7	6	8	5	2	1
5	7	1	9	2	4	6	3	8
9	8	5	4	3	1	2	7	6
6	2	4	8	7	9	1	5	3
7	1	3	6	5	2	9	8	4

431

7	2	1	4	3	6	9	5	8
4	9	5	8	7	2	1	3	6
3	8	6	1	5	9	4	7	2
2	1	3	6	4	8	7	9	5
6	5	4	3	9	7	8	2	1
8	7	9	2	1	5	6	4	3
5	4	8	9	2	1	3	6	7
1	3	2	7	6	4	5	8	9
9	6	7	5	8	3	2	1	4

432

2	4	3	9	5	6	7	8	1
8	9	7	4	1	2	6	3	5
6	5	1	7	3	8	2	4	9
9	3	8	5	6	1	4	7	2
1	6	2	3	4	7	9	5	8
4	7	5	8	2	9	3	1	6
5	8	4	2	9	3	1	6	7
7	2	6	1	8	4	5	9	3
3	1	9	6	7	5	8	2	4

433

1	7	9	2	8	6	3	5	4
8	2	4	1	3	5	7	9	6
6	5	3	7	9	4	2	1	8
4	9	2	8	1	3	5	6	7
3	6	5	4	7	9	1	8	2
7	8	1	5	6	2	4	3	9
9	1	6	3	4	7	8	2	5
5	4	8	6	2	1	9	7	3
2	3	7	9	5	8	6	4	1

434

5	1	9	8	6	2	4	3	7
2	3	4	5	9	7	6	1	8
7	8	6	3	4	1	5	2	9
4	9	3	6	7	5	2	8	1
6	2	1	9	3	8	7	4	5
8	5	7	2	1	4	3	9	6
9	6	8	7	2	3	1	5	4
1	7	2	4	5	9	8	6	3
3	4	5	1	8	6	9	7	2

435

5	6	4	2	9	8	1	7	3
3	7	2	5	1	4	8	6	9
8	1	9	6	3	7	5	4	2
4	5	3	9	8	2	6	1	7
7	9	8	1	6	3	2	5	4
1	2	6	7	4	5	3	9	8
9	3	1	8	7	6	4	2	5
6	4	5	3	2	9	7	8	1
2	8	7	4	5	1	9	3	6

436

5	9	1	8	2	3	4	6	7
6	7	3	4	5	1	2	8	9
2	4	8	6	7	9	3	5	1
4	3	2	1	9	8	6	7	5
9	1	7	5	4	6	8	2	3
8	6	5	2	3	7	9	1	4
7	8	9	3	1	2	5	4	6
3	5	6	7	8	4	1	9	2
1	2	4	9	6	5	7	3	8

437

4	6	9	2	3	5	7	8	1
5	2	8	9	7	1	6	3	4
1	3	7	4	8	6	2	5	9
8	9	3	1	6	2	5	4	7
7	4	2	3	5	9	8	1	6
6	1	5	7	4	8	9	2	3
3	8	1	6	2	7	4	9	5
9	5	6	8	1	4	3	7	2
2	7	4	5	9	3	1	6	8

438

1	6	5	3	2	7	8	4	9
3	8	9	4	5	6	2	1	7
4	2	7	8	9	1	3	5	6
8	5	6	2	4	9	1	7	3
7	9	3	6	1	5	4	8	2
2	4	1	7	3	8	9	6	5
9	7	4	1	6	2	5	3	8
5	1	8	9	7	3	6	2	4
6	3	2	5	8	4	7	9	1

439

5	2	8	6	3	4	9	1	7
7	3	6	2	1	9	4	5	8
9	4	1	5	8	7	3	6	2
8	7	2	9	4	5	1	3	6
3	9	4	1	2	6	7	8	5
1	6	5	8	7	3	2	9	4
2	8	9	4	6	1	5	7	3
6	1	7	3	5	2	8	4	9
4	5	3	7	9	8	6	2	1

440

3	2	9	5	1	8	6	4	7
8	1	7	4	3	6	2	9	5
4	5	6	2	9	7	1	3	8
7	8	5	1	2	3	9	6	4
6	4	2	8	7	9	5	1	3
9	3	1	6	5	4	8	7	2
1	6	4	7	8	5	3	2	9
5	7	3	9	6	2	4	8	1
2	9	8	3	4	1	7	5	6

441

8	1	2	3	6	9	7	4	5
7	5	9	1	8	4	6	2	3
3	6	4	2	5	7	1	9	8
5	9	7	6	3	8	4	1	2
6	4	1	9	2	5	3	8	7
2	3	8	4	7	1	9	5	6
9	8	6	7	1	2	5	3	4
1	7	5	8	4	3	2	6	9
4	2	3	5	9	6	8	7	1

442

2	4	6	5	3	1	7	8	9
3	9	7	8	2	6	4	5	1
8	5	1	7	4	9	3	2	6
1	7	5	2	6	3	9	4	8
9	2	8	4	5	7	1	6	3
6	3	4	9	1	8	2	7	5
7	6	3	1	8	4	5	9	2
5	1	9	6	7	2	8	3	4
4	8	2	3	9	5	6	1	7

443

6	3	7	4	8	5	1	2	9
5	9	8	2	1	3	7	6	4
2	4	1	6	7	9	8	3	5
8	7	4	9	6	2	3	5	1
9	6	5	3	4	1	2	8	7
3	1	2	8	5	7	4	9	6
4	2	6	7	9	8	5	1	3
7	5	3	1	2	6	9	4	8
1	8	9	5	3	4	6	7	2

444

1	6	8	7	5	2	9	3	4
4	7	9	3	8	6	5	2	1
3	5	2	1	9	4	8	7	6
6	1	3	2	7	8	4	9	5
9	2	7	6	4	5	1	8	3
5	8	4	9	1	3	7	6	2
2	9	1	4	3	7	6	5	8
7	3	5	8	6	1	2	4	9
8	4	6	5	2	9	3	1	7

445

3	2	9	1	5	7	6	8	4
4	7	6	3	9	8	1	2	5
1	8	5	6	2	4	7	9	3
9	6	8	4	7	1	3	5	2
5	4	1	2	8	3	9	7	6
2	3	7	9	6	5	8	4	1
8	1	3	7	4	2	5	6	9
6	5	2	8	3	9	4	1	7
7	9	4	5	1	6	2	3	8

446

5	2	8	7	3	1	4	9	6
9	3	7	6	8	4	2	5	1
1	4	6	5	9	2	3	8	7
2	7	9	4	1	3	5	6	8
4	6	1	8	2	5	7	3	9
8	5	3	9	6	7	1	4	2
3	9	2	1	4	8	6	7	5
6	1	5	3	7	9	8	2	4
7	8	4	2	5	6	9	1	3

447

6	8	4	3	1	9	5	7	2
2	1	5	4	8	7	9	3	6
9	7	3	2	5	6	8	4	1
4	3	9	7	6	1	2	8	5
7	5	6	8	4	2	3	1	9
1	2	8	5	9	3	7	6	4
8	4	2	1	3	5	6	9	7
3	6	7	9	2	4	1	5	8
5	9	1	6	7	8	4	2	3

448

1	6	8	9	7	4	3	2	5
4	2	9	6	3	5	8	7	1
7	3	5	2	8	1	6	9	4
6	8	2	7	1	9	4	5	3
3	5	7	4	2	6	1	8	9
9	1	4	3	5	8	2	6	7
5	7	3	8	4	2	9	1	6
8	4	6	1	9	7	5	3	2
2	9	1	5	6	3	7	4	8

449

8	7	1	9	6	3	5	4	2
3	4	2	5	1	7	6	9	8
5	9	6	8	2	4	3	1	7
6	1	4	7	3	2	8	5	9
9	2	3	6	8	5	4	7	1
7	5	8	1	4	9	2	6	3
4	6	9	3	7	8	1	2	5
2	8	7	4	5	1	9	3	6
1	3	5	2	9	6	7	8	4

450

4	7	1	3	9	2	8	5	6
6	3	5	8	7	1	9	4	2
2	8	9	5	4	6	7	3	1
5	2	6	7	1	9	3	8	4
7	1	4	6	3	8	2	9	5
8	9	3	4	2	5	6	1	7
3	5	2	1	8	7	4	6	9
9	6	8	2	5	4	1	7	3
1	4	7	9	6	3	5	2	8

451

1	5	3	9	8	7	2	6	4
8	7	2	6	4	5	3	1	9
9	6	4	3	2	1	7	8	5
7	2	9	8	5	6	1	4	3
6	4	5	1	3	9	8	2	7
3	1	8	2	7	4	5	9	6
2	9	1	7	6	3	4	5	8
4	8	7	5	9	2	6	3	1
5	3	6	4	1	8	9	7	2

452

6	8	3	7	4	2	1	5	9
9	7	1	6	5	8	3	4	2
2	5	4	3	1	9	8	6	7
3	4	9	8	6	7	2	1	5
8	1	5	4	2	3	7	9	6
7	6	2	5	9	1	4	8	3
5	2	8	1	3	6	9	7	4
4	3	7	9	8	5	6	2	1
1	9	6	2	7	4	5	3	8

453

1	6	7	3	8	4	2	9	5
5	9	3	2	7	6	1	8	4
8	4	2	5	9	1	7	3	6
2	5	4	9	1	7	3	6	8
7	1	6	8	4	3	9	5	2
9	3	8	6	2	5	4	1	7
4	8	9	1	6	2	5	7	3
3	2	1	7	5	8	6	4	9
6	7	5	4	3	9	8	2	1

454

6	8	1	4	9	7	3	2	5
2	9	7	5	3	6	1	4	8
4	5	3	1	8	2	9	6	7
7	2	9	8	1	3	4	5	6
5	6	8	2	4	9	7	3	1
3	1	4	6	7	5	8	9	2
1	4	6	9	2	8	5	7	3
9	7	5	3	6	1	2	8	4
8	3	2	7	5	4	6	1	9

455

7	2	6	1	3	5	9	4	8
9	4	1	7	2	8	6	5	3
5	8	3	6	9	4	7	2	1
8	5	2	3	6	9	1	7	4
6	1	7	4	5	2	8	3	9
3	9	4	8	7	1	2	6	5
1	7	8	2	4	3	5	9	6
4	6	5	9	8	7	3	1	2
2	3	9	5	1	6	4	8	7

456

1	5	2	6	4	3	8	9	7
3	7	6	1	9	8	4	2	5
8	4	9	2	7	5	3	6	1
4	3	5	9	1	6	7	8	2
7	9	8	5	2	4	1	3	6
2	6	1	8	3	7	9	5	4
5	8	3	4	6	1	2	7	9
9	1	7	3	5	2	6	4	8
6	2	4	7	8	9	5	1	3

457

4	5	1	7	6	2	8	3	9
2	8	7	3	5	9	6	4	1
9	3	6	4	1	8	7	2	5
8	6	4	2	9	3	5	1	7
3	1	9	6	7	5	2	8	4
7	2	5	8	4	1	3	9	6
1	7	8	9	2	6	4	5	3
6	9	2	5	3	4	1	7	8
5	4	3	1	8	7	9	6	2

458

9	1	4	5	8	3	6	7	2
3	8	6	2	1	7	5	9	4
5	7	2	9	4	6	8	1	3
2	4	7	8	9	1	3	5	6
8	5	3	6	7	2	9	4	1
1	6	9	3	5	4	7	2	8
7	3	5	4	2	8	1	6	9
6	2	1	7	3	9	4	8	5
4	9	8	1	6	5	2	3	7

459

3	4	6	9	2	7	5	1	8
8	1	2	3	5	6	9	4	7
9	5	7	8	1	4	3	6	2
7	8	4	1	3	2	6	5	9
2	9	1	7	6	5	8	3	4
6	3	5	4	9	8	2	7	1
4	7	9	5	8	3	1	2	6
1	2	3	6	7	9	4	8	5
5	6	8	2	4	1	7	9	3

460

9	4	3	2	8	1	7	5	6
6	2	5	7	3	4	9	1	8
8	1	7	6	5	9	3	2	4
2	7	6	9	1	5	8	4	3
3	9	8	4	7	2	5	6	1
4	5	1	3	6	8	2	7	9
7	3	4	8	2	6	1	9	5
1	8	9	5	4	7	6	3	2
5	6	2	1	9	3	4	8	7

461

4	6	9	8	5	3	2	7	1
2	8	1	9	4	7	3	5	6
3	5	7	6	1	2	9	8	4
9	2	8	4	7	5	1	6	3
7	3	5	1	2	6	8	4	9
6	1	4	3	8	9	5	2	7
5	9	3	2	6	4	7	1	8
1	4	2	7	3	8	6	9	5
8	7	6	5	9	1	4	3	2

462

6	4	9	8	7	5	1	2	3
3	1	2	9	4	6	7	8	5
8	7	5	3	1	2	4	6	9
9	8	1	7	6	4	3	5	2
2	6	7	5	3	9	8	4	1
4	5	3	2	8	1	9	7	6
5	2	8	4	9	3	6	1	7
7	9	6	1	2	8	5	3	4
1	3	4	6	5	7	2	9	8

463

5	3	9	8	4	6	7	2	1
1	6	4	2	3	7	5	8	9
7	8	2	1	9	5	4	6	3
8	5	1	7	2	4	9	3	6
3	2	7	6	5	9	8	1	4
9	4	6	3	8	1	2	5	7
4	9	3	5	6	2	1	7	8
6	7	5	9	1	8	3	4	2
2	1	8	4	7	3	6	9	5

464

6	4	8	7	9	1	2	5	3
7	5	2	3	4	6	8	9	1
3	9	1	8	5	2	7	6	4
1	3	6	5	8	7	4	2	9
9	8	7	1	2	4	5	3	6
5	2	4	6	3	9	1	7	8
4	1	9	2	7	3	6	8	5
8	7	3	4	6	5	9	1	2
2	6	5	9	1	8	3	4	7

465

9	3	1	6	8	2	4	5	7
8	5	2	4	3	7	1	9	6
7	6	4	5	9	1	8	3	2
6	1	3	8	7	9	2	4	5
2	4	8	1	5	3	7	6	9
5	7	9	2	6	4	3	8	1
3	8	7	9	1	5	6	2	4
1	2	5	3	4	6	9	7	8
4	9	6	7	2	8	5	1	3

466

8	6	5	1	3	9	4	2	7
2	1	4	7	6	8	9	5	3
3	7	9	2	5	4	8	1	6
4	9	2	6	8	3	5	7	1
5	8	6	4	1	7	2	3	9
1	3	7	5	9	2	6	8	4
9	2	1	8	7	6	3	4	5
7	4	3	9	2	5	1	6	8
6	5	8	3	4	1	7	9	2

467

2	1	8	5	9	6	7	4	3
6	5	3	4	7	1	2	9	8
9	4	7	2	8	3	6	1	5
7	8	2	6	5	4	9	3	1
3	6	5	7	1	9	4	8	2
1	9	4	3	2	8	5	6	7
8	7	1	9	6	5	3	2	4
5	3	6	1	4	2	8	7	9
4	2	9	8	3	7	1	5	6

468

9	4	5	2	7	6	1	8	3
3	6	7	8	5	1	4	9	2
8	2	1	4	9	3	5	6	7
1	8	9	7	4	5	2	3	6
6	7	2	3	1	8	9	5	4
4	5	3	6	2	9	8	7	1
2	1	6	9	8	7	3	4	5
5	3	8	1	6	4	7	2	9
7	9	4	5	3	2	6	1	8

469

8	7	3	6	5	1	9	2	4
5	1	9	4	2	8	3	6	7
2	6	4	9	7	3	5	8	1
3	5	6	8	1	4	7	9	2
4	9	7	2	3	5	6	1	8
1	8	2	7	9	6	4	3	5
9	3	8	5	4	2	1	7	6
6	4	1	3	8	7	2	5	9
7	2	5	1	6	9	8	4	3

470

8	5	7	1	3	6	4	9	2
4	6	2	5	7	9	8	3	1
3	9	1	2	4	8	7	6	5
6	1	3	8	9	4	5	2	7
5	4	8	7	6	2	9	1	3
2	7	9	3	5	1	6	8	4
7	8	6	4	1	3	2	5	9
9	3	5	6	2	7	1	4	8
1	2	4	9	8	5	3	7	6

471

9	5	7	1	4	6	2	3	8
2	8	1	3	9	5	4	6	7
6	3	4	2	8	7	9	5	1
7	4	3	5	2	9	1	8	6
5	6	2	8	3	1	7	9	4
1	9	8	6	7	4	3	2	5
4	2	6	9	1	8	5	7	3
3	7	5	4	6	2	8	1	9
8	1	9	7	5	3	6	4	2

472

2	4	5	7	3	9	8	1	6
3	8	6	2	4	1	5	7	9
9	7	1	5	6	8	4	2	3
5	9	8	4	1	7	6	3	2
4	3	2	6	9	5	1	8	7
1	6	7	3	8	2	9	5	4
8	1	4	9	2	3	7	6	5
7	2	9	8	5	6	3	4	1
6	5	3	1	7	4	2	9	8

473

3	9	1	2	6	4	8	7	5
2	8	5	7	1	9	3	4	6
6	7	4	5	8	3	2	9	1
8	1	2	4	3	6	9	5	7
5	4	9	8	7	2	6	1	3
7	6	3	9	5	1	4	8	2
4	5	6	1	2	8	7	3	9
9	3	7	6	4	5	1	2	8
1	2	8	3	9	7	5	6	4

474

3	4	8	6	1	2	7	5	9
7	6	5	4	8	9	1	2	3
1	2	9	3	5	7	4	6	8
5	3	2	9	7	4	8	1	6
6	1	4	8	2	5	9	3	7
9	8	7	1	6	3	5	4	2
8	5	1	7	3	6	2	9	4
4	7	3	2	9	1	6	8	5
2	9	6	5	4	8	3	7	1

475

7	2	9	4	6	8	5	1	3
3	6	8	1	5	2	4	9	7
5	4	1	3	9	7	2	6	8
6	3	2	7	1	9	8	4	5
8	1	7	5	3	4	6	2	9
9	5	4	8	2	6	7	3	1
2	7	3	6	8	1	9	5	4
1	8	6	9	4	5	3	7	2
4	9	5	2	7	3	1	8	6

476

5	9	2	6	4	3	8	7	1
6	3	7	5	1	8	9	2	4
1	4	8	2	7	9	3	6	5
4	6	9	7	3	1	2	5	8
3	8	5	4	6	2	7	1	9
2	7	1	8	9	5	6	4	3
9	2	3	1	5	7	4	8	6
7	1	6	3	8	4	5	9	2
8	5	4	9	2	6	1	3	7

477

6	8	9	2	1	3	4	7	5
2	4	5	9	7	8	6	1	3
7	1	3	4	5	6	2	9	8
9	6	2	5	3	4	1	8	7
3	5	4	7	8	1	9	2	6
1	7	8	6	9	2	3	5	4
5	9	1	3	6	7	8	4	2
8	2	6	1	4	5	7	3	9
4	3	7	8	2	9	5	6	1

478

8	9	4	2	7	6	3	1	5
5	6	1	4	8	3	7	9	2
3	7	2	1	5	9	8	6	4
1	4	5	3	9	8	6	2	7
9	2	7	5	6	4	1	8	3
6	3	8	7	1	2	4	5	9
2	8	3	6	4	5	9	7	1
4	1	9	8	2	7	5	3	6
7	5	6	9	3	1	2	4	8

479

5	1	4	7	9	3	6	2	8
2	6	9	8	4	5	3	7	1
3	8	7	6	2	1	4	5	9
9	4	3	2	5	6	1	8	7
1	7	8	9	3	4	2	6	5
6	5	2	1	7	8	9	3	4
8	3	6	5	1	9	7	4	2
4	2	1	3	8	7	5	9	6
7	9	5	4	6	2	8	1	3

480

1	2	8	7	4	6	3	9	5
6	7	3	5	9	8	4	2	1
9	5	4	3	1	2	6	8	7
4	3	6	2	5	7	9	1	8
5	8	1	4	3	9	2	7	6
7	9	2	8	6	1	5	3	4
3	1	9	6	7	4	8	5	2
8	6	5	1	2	3	7	4	9
2	4	7	9	8	5	1	6	3

481

5	7	4	6	8	3	1	2	9
9	6	8	4	2	1	7	3	5
2	1	3	5	7	9	8	4	6
8	4	9	7	1	5	3	6	2
6	5	1	3	9	2	4	8	7
7	3	2	8	4	6	9	5	1
4	9	5	1	6	8	2	7	3
1	8	6	2	3	7	5	9	4
3	2	7	9	5	4	6	1	8

482

3	6	5	7	1	4	9	8	2
4	7	9	3	8	2	5	6	1
2	8	1	6	5	9	4	7	3
1	4	2	5	7	3	6	9	8
7	9	6	1	4	8	2	3	5
8	5	3	9	2	6	7	1	4
6	1	7	2	3	5	8	4	9
9	2	8	4	6	1	3	5	7
5	3	4	8	9	7	1	2	6

483

1	2	3	5	6	7	9	4	8
6	8	9	4	1	2	5	3	7
4	5	7	8	3	9	1	6	2
8	6	5	2	9	3	7	1	4
9	1	4	6	7	5	8	2	3
7	3	2	1	8	4	6	5	9
2	9	6	7	4	1	3	8	5
5	7	8	3	2	6	4	9	1
3	4	1	9	5	8	2	7	6

484

6	9	7	8	1	5	2	3	4
5	1	4	3	2	7	9	6	8
2	3	8	9	6	4	1	7	5
1	2	9	5	8	6	7	4	3
7	8	5	1	4	3	6	2	9
4	6	3	7	9	2	8	5	1
8	5	2	6	3	9	4	1	7
9	7	6	4	5	1	3	8	2
3	4	1	2	7	8	5	9	6

485

5	6	8	2	1	7	9	3	4
4	3	1	6	8	9	5	2	7
2	7	9	3	5	4	8	1	6
7	5	2	9	6	8	3	4	1
1	4	6	7	3	5	2	8	9
9	8	3	4	2	1	6	7	5
6	9	4	8	7	2	1	5	3
3	2	5	1	4	6	7	9	8
8	1	7	5	9	3	4	6	2

486

9	4	3	5	6	7	1	8	2
8	5	1	9	4	2	6	7	3
6	2	7	1	8	3	4	5	9
5	7	4	6	2	9	8	3	1
2	9	6	3	1	8	5	4	7
3	1	8	4	7	5	9	2	6
4	6	2	8	3	1	7	9	5
1	3	5	7	9	4	2	6	8
7	8	9	2	5	6	3	1	4

487

2	7	1	6	8	5	3	4	9
8	4	3	7	1	9	6	2	5
6	5	9	4	2	3	8	7	1
9	1	8	3	5	2	4	6	7
4	2	7	9	6	1	5	8	3
5	3	6	8	4	7	1	9	2
1	9	4	5	7	8	2	3	6
3	8	5	2	9	6	7	1	4
7	6	2	1	3	4	9	5	8

488

3	9	6	7	2	5	4	8	1
4	7	8	6	1	3	9	2	5
5	2	1	8	9	4	3	7	6
8	4	9	5	3	7	1	6	2
1	3	2	9	8	6	5	4	7
6	5	7	1	4	2	8	9	3
2	1	4	3	6	8	7	5	9
9	8	5	2	7	1	6	3	4
7	6	3	4	5	9	2	1	8

489

8	1	4	6	2	9	7	3	5
6	5	7	3	4	8	2	1	9
3	2	9	7	5	1	8	4	6
2	6	3	1	7	4	9	5	8
7	9	8	5	6	3	4	2	1
5	4	1	9	8	2	6	7	3
9	8	5	2	3	7	1	6	4
1	7	6	4	9	5	3	8	2
4	3	2	8	1	6	5	9	7

490

4	2	6	1	5	7	9	3	8
7	9	8	4	2	3	5	6	1
1	5	3	6	8	9	4	2	7
8	3	4	5	9	1	6	7	2
5	6	2	3	7	8	1	9	4
9	7	1	2	6	4	3	8	5
6	1	7	8	3	5	2	4	9
2	4	9	7	1	6	8	5	3
3	8	5	9	4	2	7	1	6

491

8	5	1	6	3	7	4	9	2
2	4	9	8	1	5	3	7	6
6	7	3	4	2	9	1	8	5
9	1	2	3	5	4	7	6	8
4	8	6	9	7	2	5	3	1
5	3	7	1	6	8	9	2	4
3	2	4	5	9	6	8	1	7
1	6	8	7	4	3	2	5	9
7	9	5	2	8	1	6	4	3

492

4	1	9	8	5	7	3	2	6
3	5	6	2	1	9	8	4	7
7	2	8	6	4	3	5	1	9
6	9	5	4	3	8	2	7	1
1	3	2	5	7	6	4	9	8
8	7	4	1	9	2	6	3	5
9	8	3	7	2	5	1	6	4
2	6	1	9	8	4	7	5	3
5	4	7	3	6	1	9	8	2

493

3	7	4	6	2	9	8	1	5
1	9	8	5	7	3	4	6	2
2	5	6	8	1	4	7	3	9
4	8	3	2	5	6	1	9	7
5	2	1	9	4	7	6	8	3
9	6	7	1	3	8	2	5	4
7	1	9	3	6	2	5	4	8
8	4	5	7	9	1	3	2	6
6	3	2	4	8	5	9	7	1

494

2	3	7	4	6	8	5	1	9
1	5	8	9	2	3	4	6	7
6	9	4	7	5	1	2	3	8
8	4	6	2	1	9	7	5	3
5	2	1	3	7	6	9	8	4
9	7	3	5	8	4	6	2	1
7	6	9	1	3	5	8	4	2
3	8	2	6	4	7	1	9	5
4	1	5	8	9	2	3	7	6

495

9	4	5	6	8	2	3	7	1
6	1	7	4	3	5	2	9	8
8	3	2	1	9	7	4	5	6
2	6	4	3	7	8	5	1	9
5	8	3	9	1	4	6	2	7
7	9	1	2	5	6	8	3	4
3	7	8	5	4	1	9	6	2
1	2	9	8	6	3	7	4	5
4	5	6	7	2	9	1	8	3

496

4	5	8	3	6	2	7	1	9
3	7	6	9	1	4	2	8	5
9	2	1	7	5	8	6	3	4
8	9	4	6	7	3	5	2	1
1	6	7	2	4	5	8	9	3
5	3	2	1	8	9	4	7	6
7	4	9	5	2	1	3	6	8
2	1	5	8	3	6	9	4	7
6	8	3	4	9	7	1	5	2

497

1	8	6	4	5	7	2	9	3
3	4	7	2	8	9	6	5	1
5	2	9	3	1	6	8	7	4
6	3	2	8	7	1	9	4	5
9	1	8	5	4	2	3	6	7
7	5	4	6	9	3	1	8	2
2	9	3	7	6	5	4	1	8
4	6	5	1	3	8	7	2	9
8	7	1	9	2	4	5	3	6

498

1	3	6	2	5	7	8	9	4
5	8	9	6	4	1	3	7	2
4	2	7	8	9	3	5	6	1
7	4	3	1	2	6	9	5	8
2	9	5	7	8	4	1	3	6
6	1	8	9	3	5	2	4	7
9	6	1	3	7	2	4	8	5
3	7	4	5	1	8	6	2	9
8	5	2	4	6	9	7	1	3

499

5	1	2	3	4	6	7	9	8
9	3	6	5	7	8	1	4	2
7	8	4	1	9	2	6	5	3
3	9	1	8	6	4	2	7	5
6	7	5	9	2	1	3	8	4
2	4	8	7	3	5	9	1	6
4	5	7	6	1	3	8	2	9
1	2	3	4	8	9	5	6	7
8	6	9	2	5	7	4	3	1

500

1	3	4	6	8	2	5	9	7
6	7	5	3	4	9	1	8	2
8	9	2	7	5	1	6	3	4
7	8	1	4	2	3	9	5	6
5	4	6	1	9	8	2	7	3
3	2	9	5	6	7	8	4	1
2	5	7	9	3	6	4	1	8
4	1	8	2	7	5	3	6	9
9	6	3	8	1	4	7	2	5

501

6	3	7	8	5	2	9	4	1
9	1	2	4	6	7	5	3	8
8	5	4	1	9	3	2	6	7
5	8	3	2	4	9	7	1	6
2	7	9	6	1	8	4	5	3
1	4	6	7	3	5	8	2	9
4	6	8	5	7	1	3	9	2
3	2	1	9	8	4	6	7	5
7	9	5	3	2	6	1	8	4

502

4	7	9	5	8	1	2	6	3
6	1	2	3	7	4	9	5	8
8	3	5	2	6	9	7	4	1
1	5	7	6	4	2	8	3	9
3	8	6	1	9	7	5	2	4
9	2	4	8	3	5	6	1	7
7	6	1	4	5	8	3	9	2
2	9	3	7	1	6	4	8	5
5	4	8	9	2	3	1	7	6

503

1	7	3	2	8	5	6	9	4
5	8	2	6	4	9	1	7	3
4	6	9	3	7	1	2	8	5
6	4	7	9	3	8	5	2	1
9	5	1	4	2	6	8	3	7
3	2	8	1	5	7	4	6	9
7	1	5	8	9	2	3	4	6
8	9	4	5	6	3	7	1	2
2	3	6	7	1	4	9	5	8

504

7	4	1	5	3	8	9	2	6
8	9	5	6	7	2	4	1	3
6	3	2	9	1	4	8	5	7
5	8	7	3	9	1	6	4	2
2	6	9	7	4	5	1	3	8
4	1	3	2	8	6	7	9	5
3	7	4	8	5	9	2	6	1
1	2	8	4	6	3	5	7	9
9	5	6	1	2	7	3	8	4

505

7	3	1	6	8	4	5	9	2
6	4	2	1	9	5	7	8	3
9	5	8	7	3	2	1	4	6
4	9	6	8	5	1	3	2	7
1	8	5	2	7	3	4	6	9
3	2	7	9	4	6	8	1	5
8	1	9	3	2	7	6	5	4
5	6	3	4	1	9	2	7	8
2	7	4	5	6	8	9	3	1

506

5	8	9	2	1	6	7	4	3
7	2	3	5	4	9	6	8	1
6	1	4	3	8	7	2	9	5
4	7	5	9	6	1	3	2	8
2	9	6	7	3	8	1	5	4
8	3	1	4	2	5	9	6	7
9	4	8	1	7	2	5	3	6
3	5	7	6	9	4	8	1	2
1	6	2	8	5	3	4	7	9

507

1	5	8	9	3	7	6	4	2
9	6	4	8	2	5	7	1	3
3	7	2	6	1	4	8	5	9
5	3	9	1	4	8	2	6	7
7	8	1	2	5	6	9	3	4
4	2	6	3	7	9	1	8	5
6	1	3	5	9	2	4	7	8
8	9	7	4	6	3	5	2	1
2	4	5	7	8	1	3	9	6

508

4	6	8	5	2	1	3	9	7
7	1	9	6	3	8	5	2	4
3	5	2	9	4	7	1	8	6
8	4	1	7	6	9	2	3	5
6	2	3	8	5	4	7	1	9
9	7	5	2	1	3	6	4	8
1	8	4	3	7	5	9	6	2
5	3	6	4	9	2	8	7	1
2	9	7	1	8	6	4	5	3